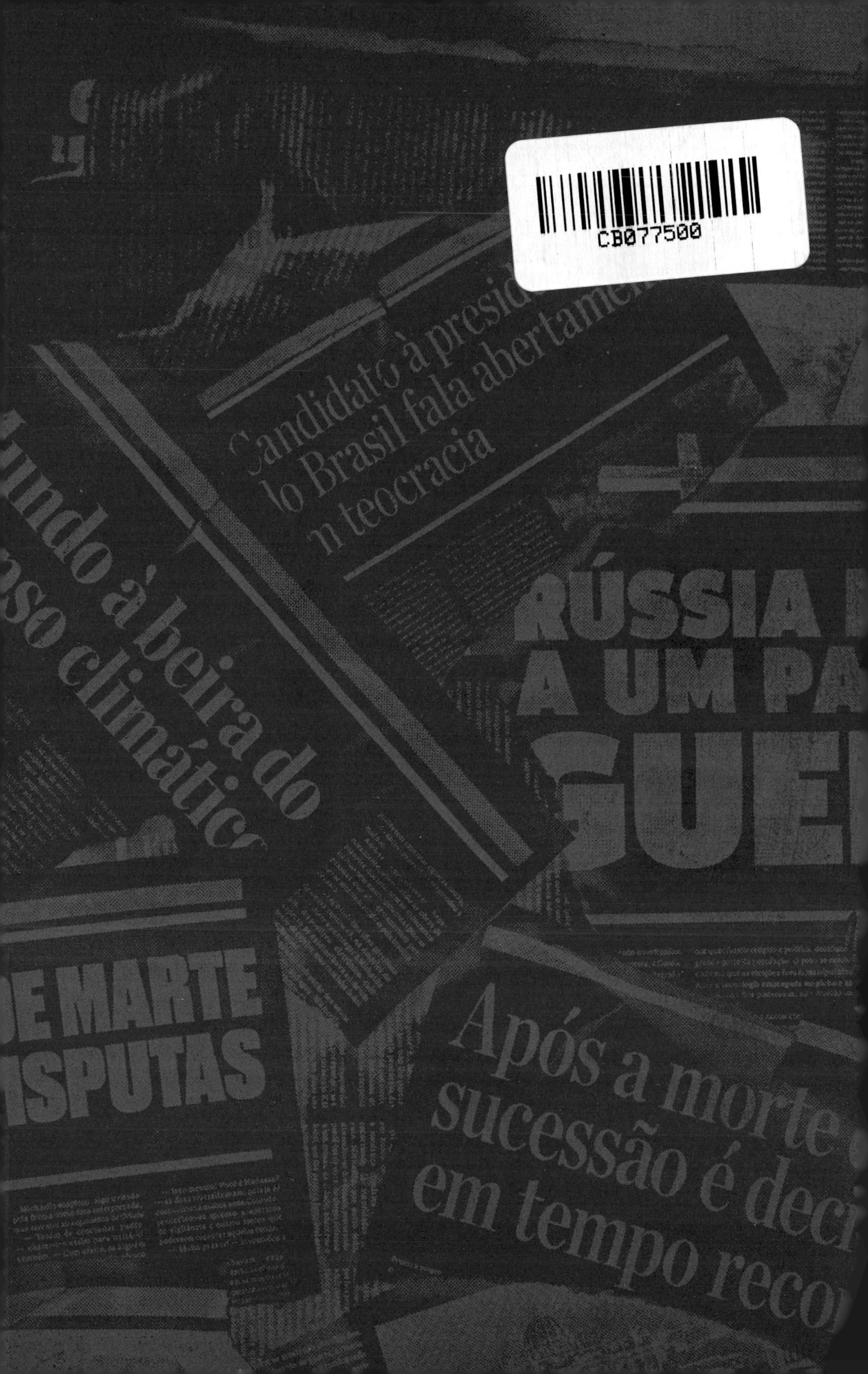
Candidato à presid
lo Brasil fala abertamen
n teocracia
undo à beira do
oso climátic
RÚSSIA
A UM PA
GUE
DE MARTE
ISPUTAS
Após a morte
sucessão é dec
em tempo reco

casadosespíritos

1ª edição | abril de 2017 | 10 mil exemplares
2ª reimpressão | outubro de 2020 | 1 mil exemplares
3ª reimpressão | dezembro de 2022 | 1 mil exemplares

CASA DOS ESPÍRITOS
Avenida Álvares Cabral, 982, sala 1101
Belo Horizonte | MG | 30170-002 | Brasil
Tel.: +55 (31) 3304 8300
editora@casadosespiritos.com.br
www.casadosespiritos.com.br

Edição, preparação e notas
Leonardo Möller

Revisão
Naísa Santos
Daniele Marzano

Capa e projeto gráfico de miolo
Rafael Nobre | Babilonia Cultura Editorial

Editoração eletrônica
Victor Ribeiro

Foto do autor
Mike Malakkias

Impressão e acabamento
Assahi Gráfica

Dados Internacionais de Catalogação na Publicação (CIP)
(Câmara Brasileira do Livro, SP, Brasil)

Verne, Júlio (Espírito).
2080, livro 1 / pelo espírito Júlio Verne ; [psicografado por] Robson Pinheiro. – 1. ed. – Contagem, MG : Casa dos Espíritos Editora, 2017.

Obra em 2 vol.
ISBN: 978-85-99818-64-0

1. Espiritismo 2. Mediunidade 3. Obra psicografada
4. Romance espírita I. Pinheiro, Robson. II. Título.

16–06997 CDD–133.9

Índices para catálogo sistemático:
1. Ficção espírita : Espiritismo 133.93

2080

LIVRO I

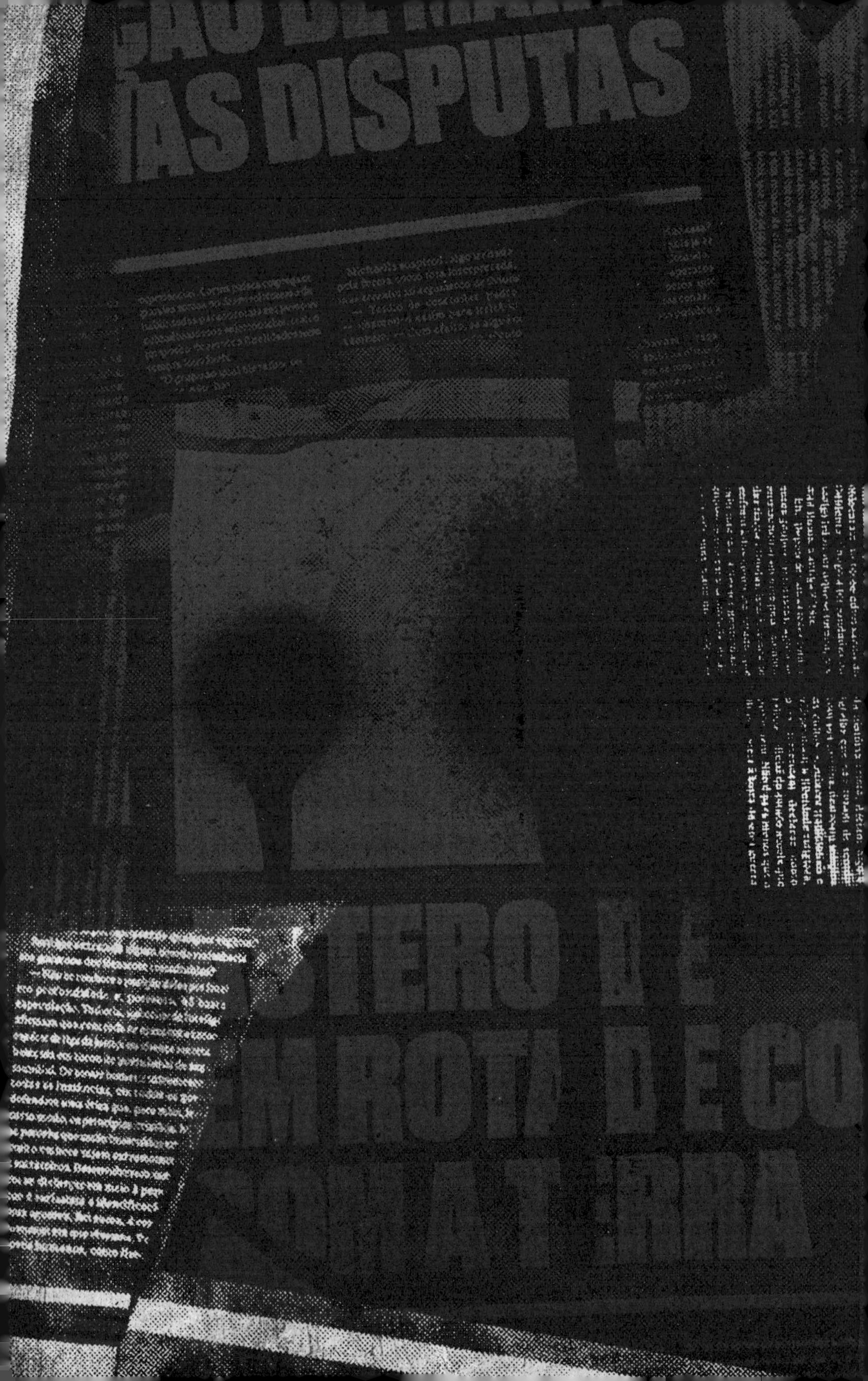
AS DISPUTAS

PELO ESPÍRITO JÚLIO VERNE

LIVRO I

ROBSON PINHEIRO

2080

O Acordo Ortográfico da Língua Portuguesa, ratificado em 2008, foi respeitado nesta obra.

“MAS DAQUELE DIA E HORA NINGUÉM SABE,
NEM OS ANJOS QUE ESTÃO NO CÉU, NEM O FILHO,
SENÃO O PAI.” MARCOS 13:32

À bandeirante Zibia Gasparetto, a quem aplaudo com admiração, apreço e amizade.

SUMÁRIO

APRESENTAÇÃO
FUTURO DO SUBJUNTIVO

por Leonardo Möller, EDITOR

"DISTOPIA (*substantivo feminino*). Qualquer representação ou descrição de uma organização social futura caracterizada por condições de vida insuportáveis, com o objetivo de criticar tendências da sociedade atual, ou parodiar utopias, alertando para os seus perigos."[1]

Se é verdade que a Nova Jerusalém, descrita nos capítulos finais do Apocalipse de João, é uma utopia, no sentido estrito, é igualmente verdadeiro que o livro profético, tal como o restante da Bíblia, dedica a maior porção de seus textos a esmiuçar a batalha a fim de que o bem prevaleça nos indivíduos e, por consequência, sobre a Terra, e não a descrever e pintar as cores daquela sociedade imaginária onde reinaria a completa felicidade. À diferença de várias outras correntes de pensamento, porém, a política do Cordeiro põe em primeiro lugar os meios, os métodos ou o caminho para se chegar ao fim, àquele ideal de concórdia e paz. Isto é: para Cristo, somente meios nobres são capazes de assegurar o destino abençoado. De partida, os

1. "Distopia". In: DICIONÁRIO Houaiss da Língua Portuguesa. Rio de Janeiro: Objetiva, 2009.

dez mandamentos[2] estabelecem sólidas bases éticas e esclarecem, em poucas palavras, que com a conduta não se brinca, com ela não há como transigir. Seis séculos antes do nascimento do Galileu, declarava-se que, entre os verdadeiros representantes da política divina, não vale qualquer golpe ou subterfúgio para chegar aonde se quer.

Em consonância com a tradição judaica, sobre a qual se funda, o Evangelho não enuncia nem preconiza a busca da utopia a qualquer preço; pelo contrário, o calvário revela que Jesus prefere a cruz à traição dos princípios que viveu e apregoou. Ao submeter-se aos poderes do mundo e ressuscitar, ele demonstra, na prática, que bem-aventurados são os mansos, os pacificadores e os misericordiosos;[3] ao curar e realizar prodígios, ilustra que o bem prospera e perdura seja conforme as convicções do indivíduo — "Tua fé te salvou"[4] — seja, principalmente, segundo suas ações — "Vai-te, e não peques mais".[5] Além disso, ao

2. Cf. Ex 20:2-17.

3. Cf. Mt 5:5,7,9.

4. Mt 9:22; Mc 5:34; 10:52; Lc 7:50; 8:48; 17:19; 18:42.

5. Jo 8:11; cf. Jo 5:14.

afirmar que bem-aventurados são os pobres em espírito, os que choram, os limpos de coração e os que sofrem injúria, perseguição e calúnia por causa da sua política,[6] o Nazareno indica que o reino por ele anunciado não eclodirá como num passe de mágica entre os homens. Mais: se bem-aventurados também são os que têm fome e sede de justiça,[7] isso implica dizer que seus seguidores vivem em meio à injustiça. Para dirimir qualquer dúvida, no sermão profético ele assevera: fomes, terremotos, guerras e rumores de guerras são apenas "o princípio das dores". E vai além: "se aqueles dias não fossem abreviados, ninguém se salvaria".[8]

Se tal é a realidade, por que tantos religiosos insistem na visão utópica do futuro? Manter a fé no Senhor só é possível se a recompensa ou a salvação estiver ali na esquina, logo após a próxima curva? O otimismo exacerbado é fruto da fé, que faz confiar no desfecho vitorioso, ou da *falta* de fé, que impõe agarrar-se à promessa de um futuro glorioso, cuja

6. Cf. Mt 5:3-4,8,10-11.

7. Cf. Mt 5:6.

8. Mt 24:8,22.

chegada seja breve, a fim de suportar as agruras do presente e as incertezas do amanhã?

O célebre escritor e visionário francês Jules Verne (1828–1905), ou Júlio Verne, considerado o precursor do gênero hoje chamado ficção científica, alia-se ao sensitivo norte-americano Edgar Cayce (1877–1945), ambos agora na dimensão espiritual, para deixarem de figurar como personagens em tramas do espírito Ângelo Inácio e, enfim, tomarem da pena da mediunidade e elaborarem o retrato de um futuro possível. A partir do presente, traçam uma projeção — decerto caricatural, em alguma medida —, a fim de lançarem os olhos sobre o panorama mundial no final do século XXI. Até lá, muito há de mudar; com efeito, penetramos o campo da conjectura ao delinearmos o que nos reserva a realidade cerca de sessenta anos à frente. Mas acentuado grau de imprevisibilidade acaso é motivo para não imaginar, não se arriscar nem cogitar sobre os rumos que toma a humanidade? De modo algum este ensaio trata de profecia ou predição, até porque nem mesmo esta constitui algo líquido e certo, mas alerta quanto à tendência prevalente. Consiste, antes, em um exercício de ficção baseado em circunstâncias reais.

Os autores detêm experiência pregressa na área, cada um à sua maneira: o romancista responde por uma prosa franca e reputadamente premonitória, em muitos aspectos, e o paranormal especializou-se em vaticínios sobre as esferas tanto privada como pública, com notável índice de acerto. Contam, na realidade extrafísica, com determinadas vantagens, entre elas, as inigualáveis bibliotecas daquele mundo e informações apuradas mediante contato com inteligências invulgares, comprometidas com a verdade, a ordem e o progresso na Terra. Meramente a visão de espírito já é atributo muito especial. Ao estudar a faculdade premonitória, o codificador do espiritismo compara o ponto de vista dos espíritos ao de um homem em cima de um cume, a observar a planície em redor. Na paisagem abaixo de onde está, o homem nota que um viajante prossegue por uma estrada ignota. Do alto, sobre o monte, pode antever as surpresas que, para o viajante — isto é, o ser encarnado —, constituem o futuro desconhecido.[9]

9. Cf. “Teoria da presciência”. In: KARDEC, Allan. *A gênese, os milagres e as predições segundo o espiritismo.* 1ª ed. esp. Rio de Janeiro: FEB, 2011. p. 458, cap. 16, item 2.

O cenário que desenham Verne e seu colaborador, Cayce, não é acalentador. Pouco conforto oferecem aos espíritas que circunscrevem a propalada transição planetária a intervalos humanos de tempo — algumas poucas décadas, talvez… — ou que idealizam a Terra se tornando um mundo de regeneração[10] quase por milagre, ou seja, por meio de intervenção abrupta e divina. Igualmente não proporcionam grande alento aos demais cristãos que tomam de modo literal pas-

10. Cf. "Mundos regeneradores". In: KARDEC, Allan. *O Evangelho segundo o espiritismo*. 1ª ed. esp. Rio de Janeiro: FEB, 2011. p. 87-89, cap. 3, itens 16-18. Ou "mundos de regeneração" (ibidem, p. 79, cap. 3, item 4). Em 1862, o espírito Santo Agostinho já escrevia: "[A Terra] chegou a um dos seus períodos de transformação, em que, de mundo expiatório, tornar-se-á mundo *regenerador*" (ibidem, p. 90, cap. 3, item 19. Grifo nosso). É importante notar, nessa obra, a preferência pela terminologia *mundo regenerador*, isto é, onde se promove ou se produz regeneração, em detrimento da expressão *mundo de regeneração*. Afinal, esta pode ser interpretada equivocadamente como *mundo regenerado*. Em *mundo regenerador*, a ênfase está na ação de regenerar ou de regenerar-se, na ideia de trabalho a ser feito, que é essencial à compreensão do estágio seguinte no qual a Terra penetrará.

sagens deste teor: "E quando o Filho do homem vier em sua glória, e todos os santos anjos com ele, então se assentará no trono da sua glória. E todas as nações serão reunidas diante dele, e apartará uns dos outros, como o pastor aparta dos bodes as ovelhas".[11]

Em 2080, o meio ambiente exige cuidado especial e apresenta deterioração mais ou menos importante relativamente às condições de vida de que usufruem os habitantes das primeiras décadas do presente século. As relações internacionais não são regidas por convivência mais harmoniosa entre as nações do que se vê na atualidade. Com o desenvolvimento da tecnologia, que permite, entre outras coisas, a exploração de Marte e o erguimento de uma base em Cidônia, região no hemisfério norte do planeta vizinho, os desafios de natureza geopolítica e diplomática tornam-se ainda mais complexos. No retrato delineado, não se verifica significativo avanço de ordem moral, ao menos na média dos habitantes, embora haja, como hoje, grupos e mais grupos comprometidos com tal objetivo.

De qualquer modo, às vésperas do colapso das negociações internacionais, quando todos os acon-

11. Mt 25:31-32.

tecimentos pareciam conduzir a uma nova guerra mundial, a uma espécie de Armagedom, desponta o inimigo comum: um astro em rota de colisão com o sistema Terra-Lua. Ainda que seu prenúncio suscite mais conflitos, tal fato aos poucos se mostra como um divisor de águas nas relações humanas. A ameaça de natureza externa não é a única, porém. E é no agravamento de todos os elementos que se precipita a narrativa, tendo como estopim a morte misteriosa do papa e a escolha, com rapidez recorde, do sucessor, que acabaria por transformar definitivamente as feições do trono de São Pedro. Somos apresentados aos personagens Michaella, Hadassa e aos chamados novos homens, cuja atuação é um dos fios condutores que norteiam a aventura de Júlio Verne.

PREFÁCIO

FUTURO ALTERNATIVO

pelos espíritos Júlio Verne e Edgar Cayce

Este livro é uma ficção. Isso mesmo! Apesar de darem nomes diferentes, tentarem definir literariamente o conteúdo, ainda assim afirmo que é uma ficção espiritual. Assim consideramos nós, os autores desta dimensão, Edgar Cayce e eu, Júlio Verne, a quem ele convidou para transformar suas palavras numa história, num romance, numa espécie de novela, dando-me grande liberdade. Em muitos momentos, vali-me da ajuda de outra consciência extrafísica, Ângelo Inácio, no que tange à atualidade do vocabulário utilizado.

Isso não significa que, em âmbito cósmico, eu abra mão de minha maneira de ser, de crer e de ver a vida — maneira essa que difere daquela adotada por outros autores espirituais que usam do mesmo instrumento psíquico por meio do qual ora me exprimo. Com efeito, assim é nesta dimensão. Somos seres únicos, diferentes e com visões distintas a respeito da vida e de certas ocorrências. Por isso, a despeito de incomodar até mesmo o editor, continuo a ter minha própria versão e visão dos fatos e da história humana — talvez porque eu a veja sob outro prisma, outro ângulo.

Quaisquer que sejam as datas aqui descritas —

2080, 2000, 3000, 2057, 2019 —, são apenas referências, pois não pretendemos, de forma nenhuma, fazer profecias, estabelecer datas e previsões, conforme o gosto de algumas pessoas que tentam fixar prazos para os eventos tradicionalmente definidos como escatológicos. Poderia não haver menção a qualquer data, porém, para o leitor se tornaria deveras difícil a localização, na linha do tempo, dos acontecimentos e dos desdobramentos aqui narrados.

Pretendemos, os autores espirituais, tão somente imaginar uma projeção de determinadas realidades terrestres, com suas devidas consequências, caso a humanidade não modifique suas atitudes e a rota que tem trilhado. Mais uma vez afirmo: as datas foram escolhidas aleatoriamente e não encerram nenhum sentido especial, tampouco representam prazos preestabelecidos. Esperamos que os leitores compreendam: o que interessa nesta obra é a mensagem inarticulada por trás dos acontecimentos narrados, os quais devem ser tomados como figuras de linguagem. Embora sejam fortes as alegorias apresentadas, lançamos mão de tais enredos exclusivamente para dar o tom de urgência necessário à mensagem de renovação do planeta e das atitudes dos humanos da Terra, conforme desejamos transmitir.

Dessa forma, nesta obra de ficção espiritual, histórica e escatológica, a qual designaremos como futuro alternativo, não nos preocupamos em apresentar os fatos em sequência necessariamente verossímil nem nos restringimos a termos, a expressões de pseudoverdades científicas deste século. Entendemos que essas verdades — grande parte delas, aliás — modificam-se totalmente após, no máximo, dez anos desde sua apologia por parte dos sábios deste mundo. Em apenas alguns anos, a compreensão de certas leis físicas ditas imutáveis cairá por terra, pois que se mostrarão completamente mutáveis, no âmbito da relatividade da vida planetária. Tais mudanças porão em xeque princípios tomados como verdades absolutas pelo homem dos tempos atuais. Portanto, tão somente antecipamos alguns aspectos que serão, em breve, revistos pelos cientistas da vossa dimensão.

Definindo este livro como um texto de ficção, ficamos mais à vontade para nossas ilações nas páginas que se seguem, por exemplo, para falar de coisas e fatos que a ciência atual ainda não descortina e até vão de encontro a determinados postulados vigentes na atualidade. Um ou outro aspecto pode mesmo estar em oposição a certas leis da física assim hoje consideradas, ou, ainda, chocar-se com descobertas da ciência humana desta época.

Arrogando-nos a devida liberdade de expressão, no âmbito de uma obra ficcional, pedimos ao leitor para considerar que, a partir de dado momento da história humana, muita coisa poderá ser diferente do conhecido nos idos de 2017, quando escrevo este prefácio.

Numa história que se passa num futuro mais ou menos distante, pode-se muito bem conceber que determinados ritos da Igreja Católica tenham se modificado, diante de uma realidade histórica nova e de eventuais transformações sociais. De modo análogo, a descoberta de partículas quânticas no espaço profundo poderia refazer a teoria do vácuo espacial total, alterando o conceito de vácuo e de outras "realidades" da narrativa científica contemporânea.

Talvez futuramente seja possível imaginar o ser humano influenciando a ambiência do orbe a ponto de torná-lo quase inabitável. Ademais, possivelmente se desabrocharão ou se desenvolverão em novos humanos, com o passar dos anos, habilidades psíquicas hoje tidas como próprias de obras de ficção por quem não as conhece ou nem sequer as admite.

Tudo isso num futuro que poderá se dar dentro de cem anos ou, quem sabe, em pouco mais de uma década. Talvez se possa descerrar a compreensão de que a mediunidade de hoje consiste apenas em um estágio de desabrochar das possibilidades evolutivas, as quais ainda agora o homem está longe de saber para onde o conduzirão.

Deixo polvilhados ao longo deste texto elementos que por ora soam inconcebíveis, no entanto, serão matéria para futuros escritos. Entre eles, a hipótese da abertura de pequenos buracos negros como consequência do mau funcionamento de outro colisor de hádrons ou partículas além daquele que é oficialmente reconhecido pelos cientistas da atualidade — este, próximo a Genebra, na Suíça —, o qual tem sido secreta e clandestinamente testado por determinada nação nos dias que correm.

Sendo assim, ainda que estas palavras grafadas por via psíquica possam suscitar a identificação de fatores e nuances diversos em pleno curso na realidade contemporânea objetiva, sentimo-nos à vontade para classificar como obra de ficção este esforço conjunto. Nosso intuito não é fazer literatura nem nos ater às verdades científicas do período em que escrevemos; muito além disso, visamos alertar aqueles a quem quer que possam chegar as palavras deste livro.

Resta-nos, uma vez esclarecidos nosso objetivo e o caráter ficcional desta obra, indagar: que nos reserva o futuro? Se o governo espiritual ou oculto do planeta permanece totalmente senhor dos acontecimentos, será que é dada ao homem terrestre a chance de destruir o mundo onde vive? Se falharem os processos educativos destinados aos habitantes da Terra, qual será o fator reeducativo que entrará em cena?

Uma vez que cada mundo do espaço presumivelmente conta com orientadores evolutivos próprios — ou governo espiritual —, por que razão permitiram que determinados planetas fossem destruídos, e sua população, transferida? Porventura tais orbes não estavam sob os auspícios da administração oculta, cósmica?

Que alternativa haverá diante do futuro que ora construímos? São questões como essas, de ordem metafísica, porém repletas de consequências materiais e sociais, que suscitam a trama a ser conhecida nas próximas páginas.

Facultamos ao leitor a decisão de escolher o fim desta história, então, em vez de a encerrarmos com um ponto final, deixamos reticências para que a complete... Dito isso, desejamos muito proveito na leitura.

JÚLIO VERNE E EDGAR CAYCE

Granada, 10 de janeiro de 2017.

CAPÍTULO I

HABEMUS PAPAM

Nunca antes os cristãos católicos de todo o mundo estiveram tão visivelmente incomodados quanto nesta época, neste século, neste ano de Nosso Senhor de 2079. Uma multidão se acotovelava na Praça São Pedro, no Vaticano, como tantas vezes fizera ao longo dos séculos, esperando alguma resposta do colégio de cardeais. Diante dos últimos acontecimentos, o mundo todo ficara boquiaberto ao saber o que ocorrera com o Sumo Pontífice. Somaram-se aos rumores e aos relatos espontâneos o silêncio do Vaticano e a grande quantidade de informações extraoficiais e contraditórias ecoadas pelos meios de comunicação em todo o mundo, gerando ainda mais perplexidade e desconfiança. O colégio de cardeais se reunira uma vez mais, como tantas outras; agora, porém, em circunstâncias muitíssimo delicadas e com motivações urgentes.

Após constatar a morte do papa, o camerlengo decretara a vacância da Santa Sé. Seguindo os ritos previstos, reuniram-se o secretário papal, o chanceler da câmara apostólica e outras autoridades eclesiais, e logo foi convocado o conclave, considerado sagrado perante a cúria, pois cabe a ele a escolha do novo papa. Decorridos nove dias da morte do representante de São Pedro e depois do camerlengo recolher os símbolos sagrados — tanto o anel quanto o selo papais —, os cardeais celebravam as exéquias de sufrágio do padre de todos os padres. A Capela Sistina estava preparada para receber os representantes do colégio cardinalício, tanto quanto convidados de todo o mundo, entre eles, jornalistas escolhidos a dedo pelo Vaticano, a fim de cobrir a sucessão papal, ainda que o conclave se desse a portas fechadas. Os cardeais eleitores deveriam manter segredo absoluto sobre o que ocorreria ali dentro, sob as bênçãos do Santíssimo. Caso algum dos cardeais porventura quebrasse as regras do sigilo absoluto, a pena poderia chegar à excomunhão — além, é claro, da execração pública a que estaria sujeito. Ao que tudo indicava, nenhum deles se dispunha a correr o risco.

Antes da abertura do conclave, porém, que se deu no 15º dia após a morte do pontífice, diversas reuniões foram realizadas com a máxima discrição ou em secreto, enquanto cristãos católicos acorriam a Roma, impressionados com o desfecho dos últimos acontecimentos. Muitos jornalistas e repórteres de diferentes veículos e procedências, de quase todos os países do planeta, estavam ali, à espera de algo que pudesse esclarecer melhor a situação. Entrevistavam membros do clero e homens do povo, incluindo empresários, que pareciam voltados, naquele momento, aos acontecimentos na Cidade Eterna. A Capela Sistina, localizada no Palácio Apostólico ainda na segunda metade do séc. XXI, chamava atenção pelo acervo de arte, um dos mais importantes do mundo, pela beleza e pela arquitetura. Os afrescos, de autoria de Michelangelo, Bernini, Rafael e Botticelli, formavam um conjunto ainda mais exuberante que o do antigo templo de Salomão, em cuja descrição a capela se inspirava.

Após a liturgia da missa realizada pelos cardeais, os serviçais da Santa Sé introduziram duas mesas condizentes com o luxo reinante na nave da Capela Sistina, bem junto ao altar principal. Um dos sacerdotes, trajado especialmente para aquele rito e acompanhado pelos olhos atentos de um dos homens mais influentes do Vaticano, colocou sobre a primeira mesa um tecido de cor púrpura, enquanto ao longe se ouvia uma música cantada em latim. Sobre a mesa, três vasos de vidro — de cristal, na verdade — muitíssimo valiosos, como tudo ali, foram depositados ao lado de uma bandeja de prata; tudo fazia parte do ritual para se estabelecer o conclave. A segunda mesa recebeu, das mãos de outro clérigo, tecido diferente, ainda que igualmente valioso, enquanto três cardeais para ela se dirigiram, colocando-se em frente aos demais. Um estado de espírito solene dominava a nave daquela que havia sido, por muitos séculos, a capela primordial dos papas. Ouviu-se, a partir de então, o hino *Veni, Creator Spiritus,* entoado por todos ali presentes:

Veni, creator Spiritus,
mentes tuorum visita,
imple superna gratia,
quæ tu creasti, pectora.

Qui diceris Paraclitus,
donum Dei Altissimi,
fons vivus, ignis, caritas,
et spiritalis unctio.

Tu septiformis munere,
dextræ Dei tu digitus,
tu rite promissum Patris
sermone ditans guttura…

O cerimonial prosseguia com o hino ressoando pelas paredes do templo mais sagrado da cristandade desde séculos. Algo lembrava, de longe, os ritos de antigos iniciados em colégios da Antiguidade. Decerto, ninguém ali estava atento às sombras que emergiam do subsolo, das catacumbas e dos corredores secretos da Santa Sé. Ninguém ali tinha olhos sensíveis a ponto de perceber as ocorrências que dariam outro sentido a todo o ritual. Vestidos a rigor, os cardeais dirigiram-se aos lugares previamente preparados e marcados nas cadeiras, tudo estritamente de acordo com as previsões regimentais. Logo após, o encarregado das celebrações litúrgicas conduziu parte da cerimônia, que estabeleceu e abriu o tão esperado conclave, que decidiria o novo ocupante do trono de São Pedro.

As vozes dos cardeais ressoaram pelas paredes da capela como se reverberassem em meio a vozes de antigos papas, de habitantes invisíveis daquele reino singular, envolto nas brumas do mistério. O advento da segunda metade do séc. XXI não extinguira a imponência ou mesmo a soberba ostentada pela cúria romana, apesar de tantos escândalos que abalaram a autoridade e a própria estrutura social e política do pequeno estado que amalgamava, em um único poder, política e religião.

Assim que todos tomaram seus lugares e o hino se encerrou, após os devidos juramentos e as demais formalidades, ouviu-se o mestre de cerimônias litúrgicas pontifícias anunciar, solene:

— *Extra omnes!*

Era a senha para que todas as pessoas que não faziam parte do conclave deixassem o ambiente, desde clérigos e representantes políticos até jornalistas e empresários que tinham negócio com o Vaticano. A partir daquele instante, somente os cardeais eleitores ficariam ali, reclusos, alijados de qualquer possibilidade de contato com o mundo exterior. Ao menos, essa era a regra enunciada no juramento a que cada um aderira.

Àquela altura, o desenvolvimento da nanotecnologia colocava em xeque a validade dos equipamentos inibidores de sinal, ligados no intuito de assegurar que as coisas se passassem segundo a previsão das normas. Assim sendo, alguns, disfarçadamente, permaneciam em comunicação secreta com pessoas de fora do ambiente, conectados por algum aparelho escondido nas longas franjas das batinas ou mesmo nas roupas íntimas. Isso também era de se esperar na organização político-religiosa mais antiga da humanidade — mais política do que religiosa.

Logo a Capela Sistina foi selada. Antes do anúncio do Sumo Pontífice, a entrada e a saída de eleitores, bem como de funcionários diretamente envolvidos em assessorá-los, seriam permitidas apenas com a Casa Santa Marta como origem ou destino, a 700m dali, onde os cardeais se hospedariam e se alimentariam. Todo o ritual era envolto em mistério, e isso era proveitoso para a mística romana; pelo menos atingia em cheio as crenças dos fiéis, embora as autoridades religiosas do Vaticano, na sua maioria, não vissem a coisa da mesma forma que o povo reunido na Praça São Pedro, o qual aguardava, inquieto, o resultado do conclave, enquanto balbuciava alguma reza e se entregava a pensamentos de toda sorte.

Caso alguém pudesse observar, veria seres alados, estranhos, sobre a cúpula da capela e das construções ao redor. Ora um, ora outro voava, com suas asas esquisitas, em voo rasante, como um presságio de difíceis momentos para o mundo. Apesar de todo esse movimento além da barreira do espaço e do tempo, numa dimensão diferente daquela em que transitavam os homens, havia certo silêncio, certa apreensão entre as sombras que esvoaçavam aqui e acolá. Algo parecia prestes a acontecer, algo que nem elas, as sombras fugidias emergidas do passado da cidade antiga, do reino dos papas e dos césares, eram capazes de apreender. Porém, pressentiam que ali, naquele momento histórico, algum acontecimento marcaria uma nova etapa na vida da humanidade.

Após o camerlengo proceder a novo juramento com os cardeais ao depositarem seu voto, junto à bandeja de prata e aos vasos de vidro ricamente adornados, o cardeal decano lembrou a todos a importância de sua participação na eleição do novo papa. Cardeais sorteados entre os presentes assumiram a responsabilidade de apurar os votos. Em regra, demora-se de dois a cinco dias para a escolha do Santo Padre. Em raras vezes ao longo da história excederam-se prazos aceitáveis. Mas, ante a insatisfação da multidão de fiéis e a necessidade urgente de dar uma resposta à cristandade, devido à morte do antigo pontífice em meio a circunstâncias controversas, ocorreu o inesperado: o conclave durou apenas algumas horas. Já no primeiro escrutínio, obteve-se o nome com mais de dois terços dos votos.

A situação do mundo não poderia aguardar demais — disso todos sabiam e estavam acordes. Demora excessiva na escolha do Santíssimo Padre poderia implicar, àquela altura, pesado tributo para a cúria romana. Ocorriam protestos em vários países desde a morte súbita do representante de Pedro. Algumas horas apenas, e a cristandade ficaria perplexa diante da rapidez da escolha, fato que atestava aos mais místicos a ação do Espírito Santo. Diferentemente do que se vira em diversos conclaves, nos quais nem sequer acontecera votação no primeiro dia, o resultado extraordinário encerrava a questão em tempo recorde, como extraordinários eram os tempos vividos pela humanidade. Não era somente a determinação do novo ocupante do trono de São Pedro que fugia à rotina, ao considerado normal naqueles dias. Avaliava-se necessário acalmar os ânimos gerais com a máxima urgência, pois se temia o pior. Uma tensão indecifrável, mas absolutamente incômoda, marcava aquele momento da humanidade.

Rodeada de mistério, a morte do Sumo Pontífice deixara órfã a cristandade. Muitos especulavam, com convicção, se a morte do Santo Padre não fora fruto de assassinato, entre outras coisas menos ventiladas, talvez envolvendo grupos de poder e espécie de milícias da máfia italiana que agiam dentro do próprio Vaticano, o menor país e um dos mais ricos do mundo, com tremenda influência internacional. Em parte por isso, ganhavam força as especulações a respeito do eventual assassinato do Santíssimo Padre. Se assim houvesse ocorrido, quem perpetrara o crime? Teria ele inimigos à altura dentro do próprio clero romano? Seria um dos cardeais, bispos ou padres? Quem sabe um agente da máfia, a qual já teria estendido seus tentáculos abertamente dentro da Santa Sé? E se a máfia não guardasse relação com a morte do Santo Padre? Seriam verdadeiros os boatos sobre o Sumo Pontífice de que ele incomodava os antigos do colégio cardinalício em virtude das reformas propostas no seio da Igreja? A mentalidade do papa, talvez aberta e tolerante demais, incitaria os agentes dos cardeais a ponto de sacrificarem-no em nome da ortodoxia? Católicos de todo o mundo estavam às voltas com inúmeras possibilidades, que eram ventiladas como nunca. De qualquer maneira, número substancioso deles aguardava em frente à Praça São Pedro a notícia de um novo líder.

Talvez a maior concentração de católicos de todo o

mundo, mas não somente de fiéis, como também de empresários, investidores, emissários ligados à cúpula romana; todos tinham os olhos voltados à Praça São Pedro. Muitos rezavam, outros se regozijavam com a morte do Sumo Pontífice; havia ainda outros que se encontravam apreensivos devido aos negócios que mantinham com padres e cardeais, gente poderosa dentro da mais antiga organização empresarial do mundo. O clima era heterogêneo. Algo incomum em outros tempos, sacerdotes concentrados em frente à Santa Sé uniam-se de acordo com suas reivindicações, como se fosse uma manifestação popular ou política, simplesmente. Grupos de padres casados, a despeito da proibição, erguiam faixas e cartazes que, naquele momento, ninguém ousaria retirar, temendo um levante. Mais à frente, sacerdotes que se declaravam *gays*; de outro lado, irmãs de caridade que propunham ao Vaticano o fim das regras de reclusão, entre outros reclames. Naquele último quartel de século, tais manifestações atingiam seu auge.

A concentração de pessoas excedeu a capacidade da praça, e o povo se alastrava pelas ruas laterais, atrapalhando o trânsito já excessivamente caótico da cidade. Roma não era mais a mesma. Já no início da segunda metade do séc. XXI, foi necessário erguer torres altas com equipamentos que absorviam a fumaça e a poluição, não apenas atmosférica, mas sonora, dado o elevado número de gente que convulsionava pelas ruas da cidade dos papas e dos césares. A tecnologia desenvolvida pela humanidade conseguia amenizar certos percalços da civilização industrializada.

Muitos esperavam o segundo ou o terceiro dia para se aproximar da Praça São Pedro, a fim de tentar, de alguma forma, ouvir o primeiro pronunciamento do novo papa de corpo presente. Ninguém esperava algo mais cedo que isso, nada tão rápido assim. O momento era decisivo, a ponto de atrair representantes de outras religiões até a Cidade Eterna, que borbulhava de gente. Brigas, altercações, acidentes de trânsito atingiam o pico, pois era febril e indefinível a aura que envolvia a cidade naqueles dias.

Todos olhavam vez ou outra para a chaminé, instalada exclusivamente para anunciar a escolha fracassada ou exitosa do novo papa. Ainda não sabiam, mas, dentro da Capela Sistina, os votos escritos pelos cardeais logo seriam queimados. Pouco antes, um novo elemento veio somar-se aos papéis, a fim de anunciar a definição do novo representante do papado: o peixe de Castela, uma composição química que produz fumaça branca, a indicação de que o novo homem forte do Vaticano havia sido escolhido, sob as bênçãos do Espírito Santo. Tudo preparado, ouviu-se, em meio aos cardeais, a voz do decano indagando ao cardeal eleito com que nome ele desejava ser chamado, uma espécie de nome iniciático à moda pastoral de Roma, segundo a tradição que perdurava há séculos.

— *Quo nomine vis vocare?* — pergunta o decano ao novo pontífice eleito.

Ao que ele responde:

— Petrus Secondo.

Os cardeais entreolham-se, sobressaltados. Nenhum dos papas, ao longo de todos os séculos, tivera a coragem de escolher o nome de Pedro, considerado pelos católicos o primeiro papa, o pai da Igreja. Agora, porém, o novo eleito queria ser chamado de Pedro II, pegando a todos de surpresa, em mais um lance extraordinário daquela sucessão papal. Mas aqueles tempos eram feitos de coisas e acontecimentos incomuns.

Um a um, os cardeais beijaram o pé direito do novo padre da Igreja, cumprindo o restante do ritual. Ao se levantarem, olhavam-se de modo apreensivo, pois se lembravam da profecia de São Malaquias, tão conhecida quanto temida entre muitos católicos do Vaticano. Um dos cardeais chorou, chorou assim que se levantou dos pés de Pedro II, numa reação também incomum. Outros cardeais, mais apreensivos e místicos, acompanharam o colega, dificilmente contendo as lágrimas, que desciam pelo rosto num misto de desespero e fé vacilante. Em seguida, levaram-se os votos dos cardeais, numa urna carregada por um dos presentes, para serem queimados junto com as tiras dos escrutinadores.

Enfim, a fumaça branca saiu pela chaminé, enquanto o cardeal protodiácono, muito apreensivo, foi à varanda da Basílica de São Pedro a fim de anunciar ao mundo a decisão.

— *Annutio vobis gaudium magnum: Habemus Papam!*

Enquanto a multidão gritava, extasiada, ao que parecia, esquecendo-se dos últimos acontecimentos e da morte prematura do papa anterior, o cardeal continuou, sendo ouvido por meio dos alto-falantes e visto nos telões instalados na praça, bem como nos projetores holográficos encomendados pelo Vaticano para a ocasião:

— *Eminentissimum ac Reverendissimum Dominum* —

e citou o primeiro nome do cardeal eleito. — *Sanctæ Romanæ Ecclesiæ Cardinalem* — anunciou seu sobrenome e, em seguida, como o novo papa seria chamado — *qui sibi nomen imposuit Petrus Secondo.*

A população foi ao delírio enquanto o mundo todo recebia a notícia da eleição do Sumo Pontífice. Todos tiveram acesso ao que ocorria na Praça São Pedro em tempo real, por meio da NetCosmic, um tipo de internet por ondas de luz, muito mais avançado do que a rede mundial de computadores, vulgarizada cerca de cem anos antes. Quando o recém-eleito Pedro II chegou até a varanda da Basílica e saudou a multidão, a euforia foi tamanha que poucos se perguntaram a respeito do prazo recorde em que fora escolhido. Então, ele dirigiu-se aos fiéis ao redor do globo e proferiu a bênção *Urbi et Orbi*, cumprindo as etapas da sucessão papal.

O mundo cristão, como um todo, pareceu se acalmar, embora adeptos de certas vertentes do catolicismo tenham ficado particularmente inquietos quanto ao significado do nome escolhido pelo novo papa, assim como no tocante à situação da Igreja, que perdia seu poder apostólico e espiritual a olhos vistos. De todo modo, a eleição do Sumo Pontífice aplacou os ânimos de investidores, empresários e políticos que mantinham ligações com Roma e com os negócios do Vaticano.

Católicos de todo o mundo comemoraram efusivamente, a despeito dos acontecimentos anteriores envolvendo a morte misteriosa do último papa. Os veículos da imprensa internacional divulgavam a escolha do mais novo ocupante do trono de São Pedro e faziam alarde em torno da profecia de São Malaquias, que supostamente previra, no séc. XII, o fim da Igreja. Não que a levassem a sério, mas exploravam a celeuma com calculado ceticismo, a fim de gerarem controvérsia e ganharem popularidade.

Nova onda de preocupação envolveu a política do Vaticano, logo após a entronização: competia ao novo papa e a seus assessores acalmar os ânimos dos fiéis. Depois de sucessivos escândalos de grandes proporções, que atingiram em cheio o prestígio da Igreja, o papa anterior, enfim, parecia haver conseguido pôr termo à crise sem precedentes que se abatera sobre o trono de São Pedro e seu rebanho. Diversas controvérsias, algumas gravíssimas, tanto no âmbito das paróquias e das dioceses como da Santa Sé, colocaram em xeque a conduta de padres e bispos ao redor do mundo, bem como de clérigos nos mais altos postos da hierarquia romana, de modo definitivo. Inicialmente, uma espécie de caça às bruxas foi deflagrada visando repreender e punir quaisquer sacerdotes que não tivessem honrado seus votos e compromissos. Entretanto, tudo era motivo para intrigas, fofocas e excomunhões, que não arrefeciam. A cúria começou a retornar ao normal somente quando, após doze meses de alvoroço, o papa resolveu emitir bulas, encíclicas e outros documentos pontifícios que inauguraram uma nova era na Igreja, levando a cabo mudanças radicais e surpreendentes, as quais desagradaram a certa ala de cardeais influentes, mais antigos e tradicionais, ainda que já fossem minoria. Liberou o casamento de padres; concedeu perdão a muitos que haviam sido excomungados por violação das normas, mas por condutas que não podiam ser consideradas imorais; e declarou haver grande número de sacerdotes *gays*, "um fato que a Igreja não podia mais negar", nas palavras do Santo Padre — sem aprová-lo ou condená-lo, apenas reconheceu a realidade e a impotência da organização para contornar a situação. A partir de então, voltou a carga contra comportamentos inconfessáveis, como pedofilia, corrupção e outras práticas francamente intoleráveis, expondo as fragilidades da cúria aos olhares do mundo. Como orador carismático, soube angariar a aprovação dos fiéis, valendo-se dela para instituir uma onda de moralização e transparência sem precedentes na Santa Sé. Foi assim que conquistou, se não o apoio entusiasta do colégio de cardeais, ao menos a adesão da pragmática maioria de seus integrantes. A postura arrojada, que denotava abertura mental, fez com que conseguisse atrair, também, a ira de clérigos e facções que disputavam o poder no Vaticano, que não admitiam ver seus dogmas e suas práticas escancarados, questionados e enfrentados daquela maneira. Ao fim das contas, a reforma que empreendeu afetou o âmago da comunidade e da organização católica em nível mundial, de tal modo que nem mesmo o Sumo Pontífice antevira ao disparar as primeiras medidas. Levado a elas por força das circunstâncias, pôs em movimento um processo sem volta e que, até certo ponto, ganhou ritmo próprio.

Assim sendo, toda a imprensa do mundo havia se voltado para o Vaticano após a morte suspeita do último papa e a instalação do novo sucessor de Pedro, o apóstolo. Esperavam uma resposta de quem ousara, pela primeira vez, adotar o nome do pai da Igreja ao consagrar sua investidura. Mas o cardeal recém-empossado, conhecendo o destino de seu predecessor, procurou ser comedido em seus pronunciamentos, ao menos enquanto compunha uma aliança mais tenaz com o grupo de aliados próximos. Se o mundo clamava por um novo papa, agora o tinha. Faltava ver o que aconteceria após o anúncio do pontificado de Pedro II.

DE TODO MODO, a eleição do novo comandante da Santa Sé não incomodou somente os místicos do catolicismo. Em determinado canto do mundo, provocou uma reação por parte de outros religiosos.

— Temos de tornar este um país evangélico. O governo deverá ser composto pelo povo de Deus. Não podemos tolerar mais, em nosso país, a existência de adoradores do diabo, do inimigo das almas. No próximo dia 15, mostraremos ao mundo que esta nação é do Senhor Jesus! — conclamava o pastor que era candidato à Presidência da República no pronunciamento transmitido pela NetCosmic. Ao mesmo tempo, era acompanhado nos rincões do país, naquelas localidades onde não havia acesso às transmissões instantâneas via WiiLuz, que proporcionava uma conexão ultraveloz à NetCosmic. Muitos aparelhos derivados da antiga televisão retransmitiam, embora de modo menos real e em cores menos vivas, o discurso do candidato favorito, segundo as pesquisas de opinião.

O público neopentecostal aumentara significativamente ali, apesar de o país ser considerado a nação com maior número de católicos do planeta, que, também, e estranhamente, contava com o maior contingente de espíritas. Não obstante, desde meados do século, os protestantes se tornaram maioria da população, com larga predominância de neopentecostais. Determinadas denominações entre estes amealharam ainda mais força desde então e acabaram por se unir em torno de um objetivo: estabelecer um regime com traços teocráticos.

O discurso do candidato deixava clara a dificuldade em tolerar os que pensavam e rezavam por cartilhas diferentes. Fora estruturado com base no combate às práticas religiosas que remontavam ao passado do país, quando houve forte vaga de imigração africana forçada, devido à escravidão, e também contra o aumento importante do catolicismo carismático. O quadro agravou-se quando Pedro II assumiu o trono na Santa Sé.

— Não podemos tolerar que a besta do Apocalipse zombe do povo de Deus. O maior representante da besta, do falso profeta e das potestades do abismo procede da terra brasileira e agora está entronizado em Roma. Temos de fazer frente a essa situação; precisamos modificar a situação espiritual da nação e elevar o Senhor Jesus como o supremo senhor deste país. Votando em um homem de Deus, em um servo da causa do Senhor, faremos do Brasil uma grande nação.

Extrapolando todas as expectativas, o povo, principalmente aquela parte da população que acreditava em resultados e propostas salvacionistas, assomou às ruas, causando medo entre aqueles que não comungavam de sua fé. Eram multidões de fiéis que preenchiam avenidas, ruas e praças públicas pelo país, imbuídos do propósito salvacionista de eleger um presidente que fosse o representante do Senhor. Representantes daqueles que passaram a ser chamados de novos crentes — um desdobramento dos neopentecostais ou um subgrupo radical entre eles, cada vez mais expressivo — vieram de outros países engrossar as fileiras dos manifestantes, contratados pelos marqueteiros da religião, insuflando a pregação eleitoral em favor do candidato fundamentalista. A bancada de parlamentares apoiadores saiu às ruas, visitou templos, manifestou-se em programas e transmissões de conteúdo eleitoral conclamando votos para o futuro governante. Aquela parcela da população, que há algumas décadas era apenas um segmento de razoável influência nos bastidores da política, crescera de modo aterrador.

Apesar de tão impressionante fenômeno, quem não estava enfeitiçado pelo discurso teocrático era capaz de perceber com clareza que a maior parte, ao se declarar adepta daquela vertente religiosa, agira assim apenas para granjear apoio político à nova onda gospel que grassava no país. Naquela época, era socialmente bem-visto quem se mostrasse como um servo do Senhor, mesmo que suas atitudes e reações demonstrassem o contrário. Palavras decoradas, recheadas de versículos e chavões neotestamentários faziam parte do discurso corrente daqueles indivíduos, bem como testemunhos de obras e realizações espirituais nem sempre verdadeiras, mas supostamente cobertas de unção do Espírito Santo.

O candidato que conquistara a preferência da maioria dos eleitores atingira 52,5% das intenções de voto nas últimas sondagens, enquanto o concorrente mais próximo alcançara, dias antes do segundo turno das eleições, o índice de 37,9%. O restante dividia-se entre votos brancos e nulos, além dos indecisos. A derrota parecia iminente para aqueles que acreditavam estar diante de uma ameaça concreta, a despeito de representantes de diversos partidos terem se unido em torno da candidatura do segundo colocado, na tentativa de evitar a vitória do partido gospel. Temiam um retrocesso geral, sobretudo em matérias como liberdade religiosa e de expressão. Personalidades da imprensa compradas com o dinheiro de negócios escusos e de fiéis que contribuíam vorazmente veiculavam dados, versões e opiniões favoráveis aos pretendidos servos do Senhor. Valia tudo para eleger o primeiro pastor presidente.[12]

12. Em 1998, o espírito Estêvão já alertava para a ameaça de a política imiscuir-se à religião, ganhando, em solo brasileiro, contornos graves, numa tradução da imagem bíblica do anticristo. Também defendeu que a figura apocalíptica do falso profeta corresponde, na verdade, à besta ressuscitada — em sintonia, portanto, com numerosas interpretações —, isto é, à reedição de uma mistura profana, outrora poderosa, entre poder religioso

— Preocupa-nos muito — principiou o representante de outro segmento evangélico mais tradicional — o que está em curso no Brasil. Os novos crentes adquiriram uma força que jamais esperávamos. Não vejo como apoiar o candidato gospel sem ferir os princípios do Evangelho.

— Temos que avaliar bem, pastores e diáconos amigos. Como sabemos, depois de anos e anos de embates e rivalidades contra as religiões que não são do tronco protestante, conseguimos estabelecer um período de convivência pacífica. Depois dessa conquista, nossa ação sobre a população, principalmente entre os que se dizem sem religião, aumentou bastante, e vivemos numa época em que nosso conceito diante do povo cresceu de maneira exponencial.

— Sim, Pastor Irineu, mas não podemos ignorar que também aumentou muito a ofensiva dos neopentecostais renovados sobre a multidão, explorando o anseio por milagres que a tirem da situação dramática na qual entrou o país.

e poder temporal (cf. PINHEIRO, Robson. Pelo espírito Estêvão. *Apocalipse*: uma interpretação espírita das profecias. 5. ed. rev. Contagem: Casa dos Espíritos, 2005. p. 175, 197-202, 245).

— Veja bem o que ocorre na região Sudeste, onde estão os principais focos de problemas da atualidade. Cidades inteiras estão subjugadas por traficantes de drogas. Das duas cidades mais importantes do país, uma delas está praticamente sob a custódia de facções, que circulam não mais somente em favelas e redutos do crime, mas com relativa liberdade pelos demais lugares. É exatamente nesse clima tenebroso que determinados ramos do neopentecostalismo crescem e conquistam as pretensões de voto da população. O caos é tamanho que, há mais de dez anos, as principais emissoras de rádio e TV, que ainda resistem ao avanço da NetCosmic, mudaram-se definitivamente da antes chamada Cidade Maravilhosa, onde, desde o século precedente, mantinham suas sedes.

O silêncio impôs-se à reunião tão logo o pastor fez referência ao estado caótico da região economicamente mais desenvolvida do país. Foi então que um diácono rompeu o silêncio:

— Fico a imaginar como estaremos daqui a dez anos. Caso o partido gospel assuma realmente o poder em nosso país, temo por quem professa outras religiões.

— Nem é bom pensar, meu irmão. Temos de agir, como pudermos, para prevenir esse desfecho. Fomos muito condescendentes com o avanço do neopentecostalismo fundamentalista em nossa pátria. Logo no fim do séc. XX e no início do séc. XXI, quando começaram a adquirir vorazmente cadeias de rádio e TV, formaram blocos de força e divulgação. Naquele tempo, pastores do movimento evangélico tradicional e pentecostal não imaginavam quão longe iriam. Ainda nas primeiras décadas do nosso século, a princípio muito timidamente, começaram a surgir ações contra adeptos de outras práticas religiosas. Estourando aqui e ali, situações de extremismo religioso e fanatismo desencadearam uma série de ações contra cultos diferentes.

— Eh, meus irmãos, não fosse a distração proporcionada pelas contendas políticas daquele período, talvez a intolerância religiosa tivesse avançado menos. Creio que as turbulências políticas e econômicas da nação entre 2013 e 2018 desviaram a atenção da população, inclusive das articulações em andamento, sorrateiramente, no interior de certas igrejas neopentecostais.

— Por certo, tiveram de inventar maneiras novas de auferir dinheiro dos fiéis, pois, diante da crise econômica, social e política, os templos arrecadavam cada vez menos. O movimento gospel teve de se reinventar para sobreviver. Esse cenário acabou atrasando em algumas décadas o projeto de levar um presidente gospel ao poder, como pretendiam.

— Não sei se foi apenas isso, pastor — falou outro integrante do grupo, visivelmente preocupado. — Creio que o apelo a soluções miraculosas, promessas de resolver problemas financeiros, conjugais e, principalmente, de saúde contribuiu bastante para atrair fiéis. As pessoas já andavam tão desconfiadas e insatisfeitas com os serviços de saúde que qualquer promessa de cura e milagre acabava por calar fundo, indo ao encontro dos anseios populares. O conhecimento de técnicas eficazes de hipnose também favoreceu os pastores renovados em suas pregações. Além disso, extrapolando a dualidade entre Deus e diabo, satanizaram a política mundana, pintando-a como instrumento do maligno, e apresentaram a proposta evangélica como redenção da política e a grande panaceia para resolver os dilemas sociais. Levaram-na ao extremo ao difundirem a ideia de um reino de Deus na Terra a ser instalado por políticos religiosos. Como a massa se deixa manipular e acredita em quase tudo, ainda mais se considerarmos a característica mística e emotiva de nossa nação, podemos entender como aqueles que se dizem investidos de uma outorga divina podem ter apelo tão grande, muito maior do que o de um político convencional.

— A questão é que o roubo continua existindo, como sabemos, tanto quanto a corrupção, mas, agora, em nome de Deus e da religião dos novos crentes.

— Mais ainda, meus amigos — falou outro diácono convidado para a reunião, muito envolvido com o movimento de esclarecimento do povo evangélico e fervoroso defensor da união entre as igrejas. — Exploraram bastante a capacidade de solucionar graves

problemas de traficantes e dependentes químicos de toda sorte, o que, em parte, era verdade, segundo aprendemos. Entretanto, desde os anos 2040, lembrem que a atuação dos chefes do tráfico se intensificou nas grandes metrópoles. Assumiram o *status* de crime organizado com sofisticação sem precedentes, constituíram uma força paralela ao poder estatal, tendo como método o enfrentamento, sem nenhum pudor, da inépcia da polícia e dos agentes públicos. Foi quando começou a disputa declarada pelo controle do Rio de Janeiro e, até certo ponto, de São Paulo. Formou-se um governo à parte, que cresceu tenazmente. Envergonha-nos que, naquela ocasião, tantos missionários tenham se aliado a representantes de um dos crimes mais hediondos, o tráfico, e passado a se vangloriar da suposta conversão de bandidos conhecidos.

— Imagino a popularidade que granjearam ao divulgarem tal feito... embora saibamos que os grandes chefes do tráfico jamais se tornaram cristãos, de fato.

— É verdade; os abomináveis realmente nunca se converteram. Quem se converteu foram tantos pastores daquela época, que se uniram a facções criminosas, a políticos inescrupulosos e outros malfeitores, pois queriam as igrejas cheias a qualquer preço. Para isso, nada melhor do que apresentar a conversão dos filhos do diabo em filhos de Deus, segundo divulgavam. Do ponto de vista dos fora da lei, foi melhor ainda, pois acalmaram o povo e asseguraram seu direito de ir e vir. Davam testemunhos dentro de certas igrejas, sobretudo nos templos maiores, onde se reunia o maior número de novos crentes mais afoitos e extremistas. Creio que esses tenham sido momentos de maior expansão das ideias milagrosas e de intervenção divina.

— Ou seja, chancelaram o tráfico, a bandidagem, a politicagem e outras coisas semelhantes com a insígnia divina... Que ignomínia! Profanaram o nome do Senhor!

— Infelizmente, pastor! Infelizmente. Foi um completo descalabro.

— O que me aflige, meus caros, é a perseguição religiosa perpetrada pelo braço mais radical dos neopentecostais — que se tornou predominante —, acirrando o combate contra aqueles que praticam outras formas de culto, o que, até então, se limitava às pregações. Em outros países da América Latina onde os cultos fundamentalistas se alastraram fortemente nas últimas décadas, assim como no Brasil, a bancada dos novos crentes conseguiu aprovar leis ou influenciar decisões judiciais que restringiram severamente a liberdade de culto, chegando a reinterpretar garantias constitucionais em alguns casos. Religiões de origem africana, bem como a umbanda, o espiritismo e outras vertentes espiritualistas, foram alvo de sanções logo após a década de 2030; em nome do Senhor, tornaram-se cada vez mais comuns perseguições declaradas, sob o patrocínio de fundamentalistas que desvirtuaram os princípios cristãos.

— Lamentável, meus irmãos, é constatar que muitas das igrejas evangélicas tradicionais às quais nos filiamos, e mesmo as pentecostais, limitaram-se a condenar a perseguição no interior dos templos, pregando sobre liberdade religiosa e tolerância; portanto, não se expuseram à sociedade em geral, não se manifestaram aos políticos nem aos neopentecostais adeptos da teocracia. Entendo que caberia a nossos antecessores liderar o movimento de repreensão àquelas medidas tão antagônicas à fé evangélica, ao amor ao próximo; afinal, teriam mais impacto e autoridade que qualquer grupo ao fazê-lo. Fato é que, desde então, assistimos a muitos templos de outros cultos serem depredados. Triste é ver esses jovens fundamentalistas de hoje, treinados para agir em nome do Senhor, em nome de sua igreja, compondo milícias extremistas, organizadas por pastores e representantes da política gospel. Jamais imaginei que veríamos, no seio do protestantismo, algo semelhante ao que ocorreu, no passado, com a Igreja Católica, que perseguiu os chamados hereges durante a Inquisição. De vítimas de intolerância, passamos a algozes! João Huss, Lutero e Calvino devem estar se revolvendo no túmulo a esta altura...

A conversa parecia não ter fim, pois cada um dos pastores e diáconos estava realmente impressionado com o avanço da política gospel; sentiam-se impotentes frente à situação. Somente algo muito sério, muitíssimo desafiador poderia modificar a situação política do país; somente algo que não pudessem enfrentar com promessas, que os desmascarasse abertamente, seria capaz de modificar o panorama. Não bastassem os anos em que a maior parte dos países do continente sul-americano iludiu-se e inebriou-se com promessas da ideologia bolivariana, que disseminou outra vez mais a solução populista, agora estavam escravos, em sua maioria, desse novo elemento que emergia do mar de promessas vagas dos políticos do passado.

EM ROMA, o colégio dos cardeais, após a eleição do novo pontífice, resolveu recorrer à ajuda especializada para entender melhor o que se passava ao redor do globo. Para o olhar atento de alguns cardeais, era patente que havia qualquer coisa de estranho em curso no planeta. Não poderiam, portanto, deixar certas mudanças e situações ocorrerem sem entenderem-nas melhor e tentarem influenciá-las. Elegeram, então, cinco delegações, compostas por apenas dois ou três especialistas do Vaticano, e as encarregaram de tarefas específicas em diferentes regiões do mundo, conforme a procedência e a área de conhecimento de seus integrantes. Eram pesquisadores, cientistas políticos e estudiosos a serviço dos cardeais romanos, cuja missão era se imiscuir em países diversos e apurar informações a respeito de fatos insólitos que começavam a despontar. A Santa Sé, evidentemente, tinha grande interesse em eventos marcantes que pudessem desencadear transformações significativas em algum lugar do planeta. A política externa era algo crucial na administração do Vaticano — como, também, de todas as nações influentes —, portanto, a cidade-estado contava com sua rede de inteligência.

O Padre Orione recebeu a incumbência de partir com destino à América do Sul, junto com dois outros padres, Damien e Matheus. Num momento de intensas considerações, ponderavam eles:

— Em todos os continentes, temos visto situações — dirigiu-se Orione aos parceiros cientistas — que denotam algo sério no tocante ao equilíbrio da Terra.

— Eh... Para nos enviarem em várias frentes de pesquisa pelo mundo, isso é sinal de que acontecimentos insólitos têm fundamento, a ponto de intrigarem os dirigentes de Roma, nem creio que somente os cardeais, mas também Sua Santidade, o Papa Pedro II — acrescentou Matheus.

— Apenas o conhecimento dos padres da Igreja,

devemos convir, não é suficiente para se formar uma ideia mais exata sobre o panorama atual. O mundo está a cada dia mais complexo — tornou Orione, mostrando visível preocupação. — As últimas evidências dão conta de que algo afetou a estrutura do planeta; segundo se suspeita, guarda relações com os avanços da ciência das partículas. Mas investigar esse ponto a fundo, como sabemos, coube aos enviados de Roma ao restante da Europa e à Ásia.

Damien, que era astrofísico, sentiu-se atraído pela conversa. Introduziu suas explicações depois de um

instante de silêncio, durante o qual, sem cerimônia, tomou uma dose da mais nova droga, cujo consumo se espalhava mais e mais por vários países. Diante dos colegas de trabalho, que já sabiam da preferência de Damien pelo narcótico da moda, principiou:

— O Grande Colisor de Hádrons, conhecido pela sigla em inglês, LHC, desde o início do séc. XXI causou muitas preocupações aos cientistas e aos mais místicos. Contudo, acabou por provocar efeito diferente daquilo que os mais pessimistas temiam. Acompanhei por alguns anos os avanços e os retrocessos das pesquisas nesse campo. Estive pessoalmente por três vezes no local, a fim de observar de perto certas experiências ali realizadas. Assim como eu, milhares de cientistas de dezenas de países acorreram às proximidades de Genebra ao longo dos anos.

Orione e Matheus escutavam atentamente os comentários de Damien, pois era assunto de seu domínio.

— Depois de um intervalo em que se reorganizaram os objetivos e os métodos empregados, o LHC foi religado. Nessa ocasião, os cientistas responsáveis decidiram fazer acelerações visando à colisão de prótons somente, em vez de colidirem elétrons e prótons. Com isso, pretendiam alcançar uma velocidade próxima à da luz nos experimentos, mas não ficaram somente nisso: capturaram uma amostra ínfima de matéria escura, que surpreendentemente se aderiu a uma das sondas espaciais enviadas para fora do Sistema Solar, a qual não completou o roteiro previamente estabelecido e acabou por retornar à Terra. Sem falar no aspecto intrigante do percurso descrito pela sonda, a questão é que os cientistas não poderiam prever os resultados das experiências no Colisor de Hádrons. Se porventura fossem bem-sucedidas, pretendia-se estudar com mais profundidade do que jamais fora possível as chamadas partículas elementares, a fim de entender o surgimento e a evolução da vida no universo. Com o tempo, perceberam que aqueles experimentos, além de outros envolvendo partículas menos conhecidas, desencadeariam efeitos que foram percebidos apenas depois de alguns anos. Ao fim da década de 2030, detectaram-se fenômenos incomuns em alguns locais. Buracos dimensionais surgiam e desapareciam aqui e ali, mais precisamente em locais onde havia grande confluência de forças magnéticas, como no Triângulo das Bermudas.

Damien esperava finalmente poder discorrer sobre o assunto, que muito lhe interessava, e queria fazer

compreendido seu pensamento. Àquela altura, Orione e Matheus se esqueceram por completo da droga consumida pelo colega, que prosseguiu, envolvente:

— Os cientistas não esperavam esses resultados e demoraram muitos anos para associá-los às experiências do Colisor. Quando, enfim, se convenceram, não estavam preparados para explicar e, muito menos, para fazer frente ou sanar os misteriosos buracos dimensionais, que nem mesmo imaginavam ser possível causar na estrutura terrena.

Ante o olhar atento dos outros dois, Damien aprofundou um pouco mais as explicações acerca das experiências levadas a cabo a partir da década de 2030.

— Fenômenos estranhos começaram a acontecer nos polos, sem que os cientistas oficiais tivessem nenhum controle sobre eles, nem sequer uma explicação razoável. Como se não bastasse, em 2035 veio à tona um conjunto de equipamentos construídos há milênios na Antártida, embora não se tenha notícia de nenhum cientista que tenha conseguido decifrar quaisquer dos registros e dos instrumentos lá encontrados.

Nesse momento, Orione tomou a palavra, mudando ligeiramente o foco da análise. Aquela era uma época que lhe interessava particularmente, pois foi o início de um tempo de grandes transformações sociais na humanidade.

— A descoberta da vida extraterrestre, naqueles anos, levou gente de toda espécie a questionar seus valores. Embora a humanidade não tivesse travado contato direto com formas inteligentes de vida alienígena, foram captados sinais, pelos radiotelescópios da Terra, que atestaram ser, de modo inequívoco, de civilizações avançadas, devido a certas características. Surgiram questionamentos que logo colocaram em ebulição o caldeirão social. Como ficariam, afinal, as pretensões de poder dos homens, revelados tão pequenos perante outras civilizações? Viram-se muitas reações estapafúrdias, como era previsível; apareceram seitas e religiões novas a partir de 2035, cada uma delas reivindicando para si a missão de representar, com mais legitimidade, os extraterrestres que eles mesmos desconheciam. Desde então — continuou Orione —, a ciência não teve como se furtar à admissão da realidade da vida inteligente extraterrestre. Hoje, os sinais de rádio do espaço são captados com intensidade cada vez maior, principalmente depois que bases terrestres foram construídas em luas de Júpiter e Saturno.

"Nesse contexto, preocupo-me com cientistas de um grupo de países liderado pela Rússia, que têm enviado sinais ao espaço em busca de contato com os seres das estrelas — o padre caminhava, inquieto, no hotel onde se hospedavam. — Muitos ponderam se este é o momento de chamar a atenção de outras raças para a humanidade terrena. Será que os sinais enviados ao espaço seriam interceptados por alguma civilização dotada de princípios de ética e moral ao menos de longe assemelhados aos que reconhecemos, já tão escassos? A possibilidade de aportar aqui uma civilização do espaço mais avançada e nada pacífica ainda hoje divide a comunidade científica internacional."

— E se isso ocorrer? Como o mundo reagirá? —

perguntou Matheus, interessado na resposta do colega, notoriamente versado nas ciências sociais. — Como o homem, os países, nós, enfim, poderíamos enfrentar um inimigo potencial em comum caso os extraterrestres detenham uma tecnologia bem mais avançada que a nossa?

Para essa pergunta, Orione parecia não ter resposta. Ainda assim, arriscou:

— Tais debates acabaram por extrapolar a barreira científica e culminaram na esfera política, em que as implicações são de maior gravidade. Além do mais, se nos pegamos discutindo esses temas é porque também interessam à religião. Não obstante, nenhum ramo do conhecimento produziu respostas convincentes diante da hipótese, mais concreta do que nunca, de nosso planeta ser visitado por seres do espaço, principalmente se os visitantes não vierem em paz.

— Há ainda outras coisas em andamento — tornou Matheus, acrescentando novo elemento à análise conjuntural que faziam. — Depois da cura do HIV e dos avanços importantes no tratamento de diversos tipos de câncer, novas enfermidades surgiram, fazendo aquelas soarem como o que representava a gripe na virada do século. Com efeito, o mundo se modificou muito nas últimas décadas; as inquietações humanas, também.

— Ao menos vemos bastante coisa bem diferente do que nos relatam os livros de história. A política e a religião, por exemplo, estão em processo de mescla em vários cantos do mundo, num franco retrocesso; acabaram por fundir-se em certos países, levando o homem a atitudes inconcebíveis desde o fim da primeira metade do século. Em grande medida, a humanidade se move rumo a um cenário socioeco-

nômico e político insustentável. Vejam a China, por exemplo — argumentou Damien, com acentuada dose de pessimismo. — A nação mais populosa do mundo é a grande protagonista global e hoje é reconhecida unanimemente como a grande potência econômica,[13] que acabou por substituir os Estados Unidos no con-

13. Segundo o sensitivo norte-americano Edgar Cayce (1877–1945), de cujas profecias se valeu o autor espiritual para forjar a trama de *2080*, a ascensão do "grande dragão chinês" e a queda dos EUA podem ser lidas da interpretação que faz do Apocalipse, de João (cf. Ap 12-13,17. Cf. PINHEIRO, Robson. Pelo espírito Ângelo Inácio. *A marca da besta*. Contagem: Casa dos Espíritos, 2010. p. 129-132).

certo internacional, embora este ainda seja um país de inquestionável relevância e influência. Alastraram-se os tentáculos do grande dragão chinês por todos os recantos do globo; ao vender a praticamente todas as nações produtos e tecnologia, logo desbaratou o poderio econômico de nações tradicionalmente mais ricas e de elevado padrão de vida. Não existe, nesta segunda metade do séc. XXI, nenhum país que sobreviva sem a tecnologia chinesa; não há quem possa viver sem os produtos oriundos da grande potência asiática. O poder de barganha, a alta produtividade, a mão de obra especializada... muitos são os fatores que a fizeram a China alçar à posição de liderança.

— Mas não é só isso — retomou Orione. — Com a China dotada de um poder de compra tremendo, não apenas os produtos chineses ganharam o mundo, como também seus cidadãos se alastraram por território além das fronteiras nacionais. Em decorrência da voracidade com que compraram bens, penetraram sociedades e nações paulatinamente, em maior ou menor intensidade. De tal sorte foi a espécie de invasão efetuada que hoje não se concebe nenhum país sem a presença chinesa. Não obstante o desgosto de muitos, fato é que essa situação conteve um mal maior, bem maior.

“Como sabemos, enquanto a população muçulmana multiplicava-se no continente europeu, a taxa de fecundidade das mulheres europeias diminuía progressivamente, suscitando sérias preocupações quanto à mudança demográfica e à consequente derrocada da cultura europeia tradicional, em avançado estágio de deterioração por volta dos anos 2020. Não fossem a expansão dos chineses e seu extraordinário poder econômico e reprodutivo, o quadro teria se agravado ainda mais. Nessa época, sob a liderança dos islamistas — isto é, os radicais islâmicos —, muçulmanos haviam se infiltrado e conquistado importante parcela do continente, por meio tanto do crescimento vegetativo quanto da imigração. Com o rápido aumento proporcional desta população, ficou patente para diversos estudiosos que, sem conflitos armados ou tomada de poder, os adeptos do islã dominariam a Europa em breves trinta anos. Nesse contexto, o elemento chinês foi o ponto de inflexão imprevisto. Ninguém havia se atentado para a alta taxa de natalidade entre os chineses que se espalharam pelo Velho Mundo, barrando, assim, o avanço daqueles que se antagonizavam mais e mais com a cultura laica ocidental, preponderante até então. De modo ainda mais eficaz do que os muçulmanos, os chineses penetraram sorrateiramente nas nações europeias; sem alarde, adquiriram imóveis, fábricas, corporações e sustentaram a economia de muitos países. Esse fato fez com que se equilibrasse, em alguma medida, o sistema de forças tão frágil da velha Europa."

Enquanto o sacerdote respirava fundo, Damien acrescentou, como que desabafando:

— Mas a que preço?! Os chineses ou o produto da sua miscigenação com os europeus estão por toda parte. Como se não bastasse terem desenvolvido tecnologias que fizeram despencar as economias do mundo, notabilizaram-se na área da genética e, nesse campo, tornaram-se *experts*. Foi quando ocorreu a grande virada em todo o mundo. Com o avanço chinês rumo ao espaço, lograram superar os esforços de outros países e foram pioneiros ao estabelecerem bases em Marte, na lua Ganimedes e no cinturão de asteroides entre aquele planeta e Júpiter.

A análise dos pesquisadores a serviço do Vaticano era interessante, porém Orione resolveu modificar o teor da conversa:

— Bem, sinto ter de interromper nosso passeio histórico, mas devo comunicar algo importante.

Os outros dois ficaram atentos ao que Orione queria falar, embora Damien não tivesse se contentado com a interrupção. O fato de estar sob efeito da droga o deixava especialmente excitado e ansioso, embora conseguisse deter o ímpeto de reagir. Orione prosseguiu:

— Tenho mantido contato com uma cientista russa chamada Michaella, radicada atualmente no México. Acredito, após extensa troca de mensagens holográficas, termos muito em comum no que concerne à nossa missão. Algumas semanas antes de deixarmos Roma, um amigo alemão colocou-me em contato com ela e, desde então, trocamos informações preciosas.

— E qual a especialidade dessa cientista?

— Michaella é astrônoma e está associada a um grupo de trabalho internacional. Ela desenvolvia pesquisas num dos maiores telescópios do mundo, em ilhas espanholas, exatamente no Instituto de Astrofísica das Canárias (IAC). Buscava informações sobre buracos negros quando avistou um estranho corpo celeste, fora da rota costumeira dos que adentram o Sistema Solar. Concluiu, após examinar as evidências, que o astro vinha em direção à Terra.

Os dois colegas de Orione entreolharam-se com espanto; definitivamente, sentiam-se atraídos pela história. O padre e agente do Vaticano continuou:

— Estamos em contato há algum tempo, e Michaella me convidou para conhecer os resultados de suas pesquisas. O assunto, obviamente, é do mais alto interesse do Vaticano e está contemplado no escopo da missão que nos foi designada.

A conversa prosseguiu eufórica em torno da notícia e do que Roma deixara a cargo do pequeno grupo averiguar.

MICHAELLA DIRIGIU-SE ao Brasil a partir do México. Viajava com o intuito de montar o quebra-cabeça que tinha diante de si. Encontrou-se com Orione pela primeira vez no *hall* de um hotel de luxo em São Paulo, onde os emissários da Santa Sé se hospedavam.

Michaella era uma mulher que não poderia passar despercebida, sobretudo no Brasil. De olhos azuis cintilantes, algumas sardas e cabelos loiros fartos e longos, media 1,79m, mas parecia mais alta. Chamou a atenção ao adentrar o *lobby*, embora se vestisse de maneira sóbria. Orione não conseguiu tirar os olhos dos olhos da mulher. Ela percebeu que algo acontecia entre ambos desde as primeiras conferências holográficas, o que, enfim, confirmava-se naquele encontro pessoal; porém, procurou deixar de lado tais pensamentos e apresentou a Orione os fatos conforme os conhecia.

— Desde que cheguei às Ilhas Canárias, fiquei inquieta com rumores de um cientista desaparecido. Ocorre que ele deixou alguns registros ocultos no computador, aos quais tive acesso após alguns meses, confirmando as suspeitas.

— E como você foi parar no maior radiotelescópio do mundo? E partindo diretamente da Rússia...

— Uma longa história, padre! Longa história — respondeu Michaella, em um espanhol que não escondia o forte sotaque.

— Caso queira, sou todo ouvidos, senhorita — disse Orione, sem ser capaz de esconder o interesse pela cientista. Ele se expunha a riscos caso os colegas lhe descobrissem as intenções; apesar da liberação oficial do casamento, vigente já há alguns meses, Orione não pertencia à ala mais liberal da Igreja.

— Na verdade, padre, comecei minhas pesquisas em São Petersburgo. Em razão delas, incomodei algumas pessoas influentes em meu país. Passei, então, a ser perseguida por alguns personagens do governo e do serviço de inteligência. Não queriam que eu falasse abertamente sobre minhas suspeitas, sob o argumento de que eram apenas hipóteses, embora calcadas em evidências consistentes. Foi quando resolvi partir para Tenerife e usar o telescópio do IAC, graças à ajuda de dois amigos que interferiram por mim. Dessa vez, porém, fui mais discreta quanto aos resultados das pesquisas. Até porque, ao lá chegar, encontrei o doutor em astrofísica Arthur Herrieth, um inglês que havia obtido informações muito similares às minhas. Contudo, ele sumiu da noite para o dia, repentinamente; faz dois meses que ninguém consegue localizá-lo. Então, resolvi não partilhar os resultados nem sequer com os dois colegas que me abriram as portas do Instituto nas Canárias.

Orione já não sabia se prestava atenção à história de Michaella ou ao corpo dela, que o atraía irresistivelmente; quem sabe às duas coisas, pois o relato era deveras interessante e ia ao encontro de suspeitas ventiladas pelo grupo científico no Vaticano do qual ele fazia parte.

— Na altura, padre — ela tentou continuar, tendo sido logo interrompida por Orione, que se levantou e lhe serviu vinho enquanto a encarava com ar diferente. Michaella sentiu-se ligeiramente incomodada.

— Não me chame de padre, mas somente de Orione.

— Mas você não é padre, como me falou antes, em nossas ligações?

— Digamos que, na missão que me foi designada, deixei minha batina guardada. Aqui sou apenas pesquisador e cientista, nada mais. De certo modo, os fatos incomuns que pesquisamos tornaram-se a minha religião.

Michaella ficou desconcertada, pois interpretou que aquilo tudo era apenas uma forma que Orione encontrara de se aproximar dela. Estava sendo se-

duzida; curiosamente, ela também se sentia atraída pelo padre.

— Bem, Orione — acentuou o nome ao pronunciá-lo —, ao observar determinados acontecimentos em nosso Sistema Solar, concluí, por meio de projeções e cálculos, que uma força estranha agia nos campos magnéticos de certos planetas e que essa mesma força atuava sobre nossa Lua e, por conseguinte, sobre nosso planeta. Apesar da intensidade pequena naquele momento, cerca de três anos atrás, a influência tinha clara tendência ascendente. Os cálculos que fiz junto com um físico em Petersburgo me levaram à conclusão de que havia um corpo celeste vindo em direção à Terra, mais precisamente em direção ao centro do Sistema Solar.

Orione a olhava de forma insistente e não conseguia mais dissimular os pensamentos que lhe ocorriam.

— E a que conclusão chegou? Conseguiu detectar o astro, afinal?

— Não naquele momento, pois aquele colega levou ao conhecimento de outras pessoas aquilo que eu havia descoberto. Só havia cálculos matemáticos, nada mais. Eu precisava de um instrumento mais avançado e de maior potência do que tinha à disposição a fim de confirmar minhas hipóteses. De todo modo, parece que outra pessoa, antes de mim, já havia chegado ao mesmo resultado. Por motivo que desconheço, seja político, seja de outra natureza, fui proibida de dar continuidade às pesquisas. Resolvi, então, sair do país, o que foi uma verdadeira aventura.

Orione ficou intrigado com a história envolvendo Michaella. Ela prosseguiu, após alguns minutos de silêncio, quando correspondeu instintivamente aos olhares do padre.

— Depois, quando já estava na Espanha, fugindo do meu país, soube das pesquisas de dois colegas que foram para o México. As pirâmides localizadas naquele país começaram a emitir um tipo de radiação até então nunca visto, ou melhor, algo ignorado, partindo do solo abaixo das pirâmides. Junto disso, alguns fenômenos se iniciaram no chamado Mar do Diabo, ao sul do Japão, e também no polo Norte, onde uma equipe internacional tem realizado pesquisas arqueológicas. Enfim, fui para o México, pois lá também está um grande conhecido meu, que observa a costa de vários países e mapeia cidades que submergiram.

— O Vaticano teve sua atenção voltada para esses incidentes e tem grande interesse em saber mais a respeito. Como sabe, nada pode passar despercebido aos olhos da Santa Sé, sobretudo acerca de assuntos de tamanha importância histórica.

— Quer dizer, então, Orione, que existem mais pesquisadores enviados pelo Vaticano a outras partes do mundo?

— Claro que sim, embora nossos grupos não mantenham contato entre si. Tal é o método empregado pelos cardeais e os bispos de Roma já há bastante tempo. Sei, pelas notícias dos bastidores, que nos Estados Unidos, justamente na Califórnia, há um grupo que investiga as últimas ocorrências na costa oeste. Lá, grande quantidade de golfinhos e de outros animais marinhos emigra de forma atípica. Lembra-se da catástrofe que acometeu a região do Japão no *tsunami* de 2011? Naqueles anos e depois, não imaginavam — ou, se porventura imaginavam, não alertaram a comunidade mundial — que aquele evento era uma espécie de aviso da natureza. Outros se seguiram àquele, denotando que a Terra, como unidade geológica, entrava num período de franco desequilíbrio de caráter estrutural. Na década de 2020, pôde-se notar um aumento considerável de catástrofes cada vez mais acentuadas. Veja o que ocorreu com Veneza, por exemplo, e outras cidades importantes. Muitas já não existem, devido às catástrofes ocorridas neste século. Por todo o mundo, vimos situações que levaram cidades e até países a serem evacuados, como ocorreu em algumas cidades das Américas do Sul e Central ou no Japão. Em muitos casos, o homem se viu completamente impotente frente às forças da natureza. E o Vaticano está, evidentemente, muitíssimo interessado nesses eventos e nas implicações que acarretam.

— Ao considerar tais eventos, mas principalmente a situação geológica do planeta, cheguei à conclusão de que todos estão interligados entre si, porque, entre outros motivos, decorrem da aproximação do asteroide — afirmou Michaella. — A influência magnética do astro não poderia deixar de induzir muitos fenômenos em nosso orbe. Aquele amigo cientista a que me referi fez apontamentos que identificam uma causa comum e associam boa parte das ocorrências graves ao longo dos últimos setenta anos. Constatou que tanto o terremoto seguido de *tsunami* em 11 de março de 2011, no Japão, quanto o abalo sísmico de grande intensidade que atingiu a costa do Chile no ano anterior, bem como os tremores que acometeram a Nova Zelândia tanto em 22 de fevereiro de 2011 como alguns meses antes estão indubitavelmente conectados. Além disso, é preciso levar em conta que a placa do Pacífico, a maior placa tectônica do mundo, concentra hoje as maiores preocupações dos estudiosos ao redor do globo. Na verdade, para a atualidade, os cientistas esperavam até eventos mais catastróficos, tendo em vista todos esses fatores.

"Não obstante, desde ontem, quando recebi relatórios novos, a preocupação dos pesquisadores aumentou, pois uma atividade incomum foi notada e mapeada na subcrosta do planeta, justamente desde a placa de Juan de Fuca, a noroeste da América do Norte, até a falha de San Andreas, mais ao sul, na Califórnia. Sabe-se apenas que os desastres ocorridos há cerca de setenta anos no Japão, no Chile e na Nova Zelândia, aos quais me referi, denotaram tão somente o início de uma tendência no que tange às placas tectônicas. Diante disso, das notícias recentes, a comunidade científica mundial está em alerta."

— E você sabe exatamente quando começou toda essa movimentação de ordem geológica?

— Esse é outro fator intrigante, Pe. Orione...

— Orione, apenas! Nada de *padre*, por favor — reagiu ele, exibindo um sorriso enigmático.

— Pois bem, Orione! Tais eventos vinham sendo estudados há mais ou menos quinze anos; contudo, há três meses, parecem ter se acentuado. Intrigante é que tal incremento coincida com ligeira modificação sofrida pela órbita lunar.

— Mudança no movimento da Lua em torno do nosso planeta? Não tenho conhecimento desse fato. Imagino ser algo potencialmente grave, não?

— Isso vem sendo analisado por cientistas ao redor do mundo, mas hoje é consensual: a Lua tem modificado sua trajetória orbital. Ainda que lentamente, não tão lentamente a ponto de não se poder observar o fenômeno. Captam-se sinais eletromagnéticos que o confirmam tanto na atmosfera da Terra como na própria Lua, há mais de quinze anos. Como resultado, assistiu-se ao aumento da incidência de enchentes tropicais, de tal sorte que se transformaram em catástrofes de grandes proporções em muitos países, mesmo aqui, no Brasil. Note o que ocorreu na Baía de Guanabara, por exemplo; trata-se de algo não previsto pelos cientistas, embora tenha havido quem já cogitasse a respeito, em caráter extraoficial. A submersão parcial de cidades como Recife, Vitória e Rio de Janeiro deixou a população em polvorosa, e o país enfrenta uma situação desafiadora.

"Com efeito, forças desencadeadas na Terra guardam estreita ligação com acontecimentos a que está sujeito o satélite natural, que recebe influência magnética de astros rumando em direção ao Sistema Solar. A repercussão no planeta se verifica em fenômenos como *tsunamis*, maremotos e terremotos, observados com inédita frequência. Também o aumento da temperatura média, constatado entre as décadas de 2030 e 2050, está relacionado ao movimento do astro intruso e à consequente ação sobre a Lua, segundo as pesquisas de que participei, e tal incremento ainda contribui para agravar a intensidade daqueles incidentes, num círculo vicioso preocupante."

Ambos ficaram calados por algum tempo. Já naquele momento, Orione percebeu que sua ligação com Michaella era muito mais intensa do que aparentava. Era muito mais do que uma simples atração física. Logo depois, os dois estariam juntos, mais intimamente do que previram. Apesar da abertura da Igreja a essa situação em pleno ano 2079, Orione ainda questionava o próprio comportamento como padre e, portanto, oscilava entre permissividade e culpa.

— Uma coisa me preocupa, para a qual não tenho resposta, Michaella — disse ele, enquanto instintivamente se levantavam e se tocavam suavemente, dando-se as mãos. — É o fato de que tudo isso, ou melhor, de que o aumento na intensidade desses eventos ocorra justamente quando é eleito o novo papa.

— Pedro II?

— Exato! Isso é significativo para nós, que estamos ligados ao Vaticano.

— Quanto a mim, que sou apenas uma cientista, não vejo nenhuma ligação com os fenômenos que estamos estudando — tornou ela, mais suave, olhando o trânsito na rua enquanto inclinava a cabeça, tocando o ombro de Orione quase por instinto. — Mas, como sei que você também é cientista e conhece elementos que ignoro, prefiro me calar — também quase por instinto, beijaram-se ternamente ali mesmo, no *lobby* do hotel.

Naquele exato momento, o Pe. Damien descia do elevador e flagrou os dois, a certa distância. Procurou esconder-se enquanto os observava, embora logo se afastassem, por iniciativa de Orione.

— Temos de ter cuidado, Michaella. Estou aqui com mais dois agentes do Vaticano. Não podemos ficar à mercê deles em hipótese nenhuma. Não podem saber nada sobre nós.

Michaella não entendeu direito os temores de Orione. Apesar do receio do padre, os dois acabaram por subir juntos para o quarto dela, pois resolvera mudar de hotel e hospedar-se ali, a convite dele. O pensamento de Damien fervilhou.

CAPÍTULO 2
PERIGO IMINENTE

Acontecimentos de importância histórica marcavam o ano em que Pedro II assumira o trono da Santa Sé. Bastante preocupados, Michaella, Damien, Matheus e Orione conversavam durante a viagem em direção ao Rio de Janeiro, na autoestrada que o ligava a São Paulo. Naquele estado, o objetivo era observar certos fenômenos naturais considerados críticos, decorrentes de uma importante variação climática. Em certos lugares onde antes havia abundância de chuva, a seca então castigava, tornando o clima árido e o solo, infértil. Em outros, como na região Serrana, agora nevava. Eram fenômenos insólitos, que novas descobertas da ciência humana já podiam explicar, apesar da relutância de parte da comunidade científica; tratava-se apenas de um reflexo do clima, que estava totalmente sem controle. Embora o homem manipulasse o clima com fins geopolíticos — algo corrente e notório entre as grandes potências, tais como China, Japão, Rússia, Estados Unidos e Canadá —, paradoxalmente não era capaz de dominar as variações climáticas extremas que aconteciam ali e acolá, em muitos países do mundo.

— Viram as últimas notícias? — perguntou Orione, visivelmente inquieto com os acontecimentos de natureza política.

— Estive tão ocupado organizando as informações que coletamos dos colegas de Michaella — falou Matheus, com semblante fechado — que é como se tivesse me isolado do mundo.

— De minha parte, confesso que estou com medo, muito medo.

— Por que, Damien? Diria que estamos em situação segura, pois temos carta-branca do Vaticano, isto é, podemos ir e vir por todos os países, pelo menos no Ocidente, com relativa liberdade. Nossa posição de pesquisadores a serviço de Roma nos confere certas regalias, que facilitam o trânsito entre pessoas. Cá, no Brasil, devemos ter cuidado, é verdade, pois sabemos que o contexto político não é favorável aos representantes de religiões que não sejam a dos governantes. Mesmo isso tem solução, acredito. Em suma, com uma boa dose de diplomacia, conseguiremos fazer nossas observações com tranquilidade suficiente.

— Não é a isso que me refiro, Orione — falou Damien, com a voz embargada. — Estou preocupado com a vida no planeta, com o futuro do ser humano. Que está havendo conosco? A que ponto chegamos?

Onde exatamente perdemos o fio da meada, ou melhor, como nos distanciamos do propósito divino a tal ponto de mergulharmos neste caos? O homem perdeu o controle sobre o mundo.

— Desculpem, senhores — interpelou Michaella, sentada ao lado de Orione, à frente do veículo que ele guiava. — Se não estou enganada, o homem nunca controlou coisa alguma no planeta. Para mim, que não vejo a vida sob o prisma da religião, o grande problema nosso, como humanidade, é exatamente este: sem jamais termos estado efetivamente no controle, cremos comandar tudo. Dessa visão irreconciliável, com cada qual se acreditando investido de tal capacidade, derivam as disputas entre nações, governos, povos, religiões e fiéis, pois se julgam detentores de um poder que não lhes compete. Chego a indagar se não somos apenas um grande câncer que adoece o planeta, como se o homem fosse uma bactéria a infectá-lo e, agora, os anticorpos da natureza reagissem contra a investida sobre o organismo planetário. Tudo o que vemos são apenas reações naturais, do próprio meio ambiente. A Terra está viva e dá sinais de querer sobreviver à humanidade, que ignorou, por milênios, que o mundo onde vive é um ente vivo. Na minha opinião, o planeta apenas reage instintivamente; quer expelir de seu bojo o homem mau, semelhante a um tumor que precisa ser extirpado.[14]

Damien não gostou da interferência de Michaella. Ademais, ele a considerava uma espécie de Eva, que induzira o homem ao pecado — naquele caso em particular, Orione.

— Então, Orione, conte sobre as notícias — Matheus interveio depois de algum silêncio, tentando disfarçar

14. As palavras duras de Michaella foram objeto de questionamento ao autor espiritual. Embora tenha declarado não se identificar necessariamente com todas as falas da personagem, Verne afirmou pensar como ela no assunto em questão, estimulado, também, pelas profecias do espírito Edgar Cayce a esse respeito. A fim de corroborar seus temores e o cenário desolador que descreve, reportou-se à imagem do sétimo selo, introduzida por João Evangelista, que descortina sete anjos, cada qual com sua trombeta (cf. Ap 8-10). Ainda que o sétimo anjo assegure a supremacia do Cordeiro, os seis primeiros anunciam maus presságios à humanidade terrena, apesar da "misericórdia divina, que protela ao máximo os eventos drásticos" (PINHEIRO. *Apocalipse*. Op. cit. p. 128). A interpretação que o espírito Estêvão dá à profecia bíblica é altamente esclarecedora (cf. ibidem, 127-148, cap. 7).

o incômodo que as palavras de Michaella provocaram, principalmente no padre mais angustiado.

Preocupado com o que ouvira, Orione respirou profundamente e comentou:

— Não sei se é pura coincidência ou não, mas ontem à noite, quando todos foram se deitar, fiquei de olho na NetCosmic e acompanhei algumas notícias com interesse. Isso sem falar no contato feito pelo Cardeal Duncan, que pediu atenção para os acontecimentos aqui, no Brasil; caso precisássemos, disse ele, deveríamos regressar a Roma ou nos dirigir a outra base de observações mais segura, em outro país. Quanto às notícias — retomou o assunto principal —, concluí que estivemos muito envolvidos com a escolha do novo pontífice e, preocupados com os eventos que temos pesquisado, não prestamos a devida atenção ao que ocorre mundo afora. Por exemplo: precisamente no dia em que Sua Santidade assumiu o trono de São Pedro, registrou-se um terremoto que provocou inquietação até mesmo nas autoridades eclesiásticas romanas mais atentas.

— Mas terremotos acontecem sempre, Orione — interpelou Michaella, desobrigando-se de chamá-lo de padre também na presença dos demais.

— É verdade, mas, nesse caso, o terremoto ocorreu num local sagrado para três das mais importantes religiões do mundo.

— Jerusalém? — perguntou Damien, sobressaltado.

— Exatamente, meus caros: Jerusalém. E não se trata somente de um simples terremoto. Como se pôde constatar nos dias subsequentes, a cidade foi dividida em três partes, fato que tem sido relacionado justamente com as três grandes religiões que a disputam e a têm, até hoje, como o lugar mais sagrado. Pelo que pude saber do Cardeal Duncan, a situação na capital israelense e nas imediações está muito tensa. Segundo ele, somente um milagre poderá evitar um confronto declarado entre as populações rivais.

— Isso é realmente grave — acrescentou Matheus. — Sobretudo porque, depois de décadas e décadas de conflito no Oriente Médio, estava vigente uma política de não agressão, com relativa estabilidade e boas chances de evoluir para um tratado de paz. O estado palestino, Israel, muçulmanos, judeus e cristãos, todo aquele amálgama, tudo parece um barril de pólvora prestes a explodir. Só falta o estopim.

— E o estopim já foi aceso. Infelizmente — tornou Orione. Naquele ponto da conversa, até mesmo

Michaella ficou impressionada com os acontecimentos. — Ontem, quando vi as notícias pela NetCosmic, fiquei sabendo que, na mesma noite do terremoto, a Rússia declarou guerra à China, devido à aliança com uma das nações envolvidas no conflito secular da Palestina. Isso é um péssimo sinal, sobretudo neste momento, em que pipocam aqui e ali desafios aparentemente sem conexão, mas que, pouco a pouco, têm se mostrado interligados. Dois dias após a declaração de guerra, a Coreia do Norte mais uma vez crispou o já conflagrado ambiente das relações internacionais, pois resolveu juntar-se oficialmente à nação terrorista a fim de confrontar os Estados Unidos. Blefam uma vez mais? Pode ser, porém é a primeira vez que os norte-coreanos se unem abertamente ao país que resultou da fusão dos dois maiores grupos extremistas que, desde sua origem, colocaram-se como adversários do Ocidente. Chego a ter saudades do antigo Irã ao ver o que se tornou, nos dias atuais, a antiga Pérsia.

— Eh... Depois de tantas lutas contra esses grupos terroristas, agora se entrincheiraram num país-membro das Nações Unidas, isto é, temos de enfrentá-los como um estado, que caiu nas mãos desses genocidas e converteu-se em sua morada. Aliás: caiu em suas mãos ou rendeu-se a eles? Um amigo que pesquisa a região aposta na última tese — falou Michaella. — A verdade é que pouco importa; o caso é da maior gravidade, seja como for.

— Temos aí um perigo que tem crescido e se alastrado especialmente ao longo das três últimas décadas. O mundo não pode mais subestimar a força dessa gente, que fomenta e exporta o terror de forma clara, recrutando militantes dentro e fora de suas fronteiras — asseverou o Pe. Matheus.

Àquela altura, Damien chorava baixinho, enxugando as lágrimas, numa visível manifestação de apreensão e medo diante dos desdobramentos prováveis dos acontecimentos recentes. Orione continuou:

— Do outro lado do mundo, cá no Brasil, o povo vai às ruas e se rebela contra o governante que ascende ao poder. Trata-se de um presidente adepto de uma vertente radical do neopentecostalismo, apoiado por boa parte da bancada evangélica, o qual propõe tornar o país uma espécie de teocracia. Uma nova vaga de terrorismo religioso ronda as multidões e parece arrastar grande parcela da população. Por muitos considerado historicamente pacífico ao compararem o número de guerras vividas pelo país e pelos demais, o Brasil se vê agora às voltas com insurreições, batalhas a céu aberto, principalmente na região Sudeste, onde facções do narcotráfico digladiam pelo comando das duas maiores cidades e constituem uma espécie de governo paralelo. Como se não bastasse essa disputa, ganha a eleição o candidato absurdo, que quer fundir religião e política, desafiando grande parte da população. O povo se revolta e afirma que as eleições foram manipuladas. Ante a tecnologia empregada no pleito e as artimanhas dos poderosos, não duvido da possibilidade.

— Os chamados novos crentes têm ido às ruas também e enfrentam os adversários com suas milícias. É um alvoroço em todo lugar — completou Matheus.

— Não são os protestantes em suas várias denominações os extremistas, mas uma ala entre os neopentecostais; que fique bem claro! Interessante é observar como arregimentaram o apoio e o prestígio que têm, uma vez que, sozinhos, os novos crentes não são maioria. Em nome de Deus, crimes abomináveis são praticados, lembrando os lances mais lastimáveis da história cristã. Ateiam fogo a igrejas que não rezam de acordo com sua cartilha, destroem templos de cultos populares tradicionais e vilipendiam a liberdade religiosa, pois pretendem declarar como religião oficial do estado aquela que professam. Não é para menos que o Brasil esteja à beira de uma guerra civil.

— Ou seja — interferiu Michaella, que mal conseguia conter seu dissabor e sua aversão pelo cristianismo —, o extremismo religioso pelo qual acusam os islamistas, sobretudo os jihadistas, agora começa a ser observado, ainda que em estágio incipiente, nos que se dizem cristãos. Por isso, prefiro ficar com a ciência como minha religião.

Todos se calaram, pois ficaram incomodados com o comentário de Michaella. Embora não estivessem de acordo com a comparação que ela fazia, os padres optaram por não rebater a fala da cientista naquele momento.

Depois de um tempo prolongado de silêncio, Orione resolveu tomar a palavra novamente, tentando dirigir a atenção a assuntos de outra categoria.

— Não sei se vocês têm conhecimento a respeito do grupo que os órgãos de inteligência dos países mais bem-informados intitulam novos homens.

— Novos homens? — perguntou Matheus, que compartilhava de várias opiniões de Orione, além do mesmo estado de espírito.

— É um grupo de pessoas de diversos países; na verdade, formou-se a partir de núcleos independentes espalhados pelo mundo, que hoje se interligam numa rede ampla e, assim, têm penetração global. Os integrantes não se consideram religiosos, embora sua missão, ao que se sabe, consista em prestar auxílio em questões de relevo nacional e internacional, visando à manutenção da ordem e da estabilidade social. Detêm habilidades paranormais e psíquicas em maior grau que a maioria da humanidade, e esse ponto explica boa parte de seu método de ação.

“Há mais de três décadas, todos sabemos bem, investe-se em indivíduos com tais potenciais. Muitos são recrutados por corporações e organismos de inteligência, com vistas à prática de espionagem com fins industriais ou geopolíticos, entre outras experiências. Certos países empregam grandes somas no desenvolvimento de habilidades paranormais em pessoas cuidadosamente selecionadas, com o propósito de servir a finalidades nem sempre louváveis.

“O grupo ao qual me refiro, porém, parece não haver se associado a nenhum desses projetos patrocinados. Os membros formam núcleos em vários países e se interconectam por meios que desafiam a compreensão até mesmo das agências de inteligência e investigação das nações centrais. Um ou dois já foram capturados, segundo li, mas falhou a tentativa de submetê-los; preferiram morrer a atender aos interesses particulares de qualquer regime."

— Será que se trata de algum tipo de resistência aos governos devidamente constituídos?

— Não se conhece a posição deles por inteiro, em profundidade, e, portanto, há bastante especulação. Todavia, agências de inteligência afirmam que essa rede se apresenta como uma espécie de liga da justiça ou aliança secreta, estabelecida em torno de postulados de segurança mundial. Os novos homens intrometem-se em todas as instâncias, em todos os governos, e defendem uma ética que, para mim, lembra, de certo modo, os princípios cristãos. Mais e mais se percebe que estão imiscuídos em toda parte, muito embora sejam extremamente discretos e sorrateiros. Desenvolveram tamanha perícia em se disfarçar em meio à população comum que é raríssima a identificação de algum de seus agentes. Em suma, é essa a boa-nova do momento em que vivemos. Tudo indica que os novos humanos, como lhes chamam alguns órgãos, têm por objetivo auxiliar em todo lugar, sem partidarismo. Considero serem eles uma instância a que podemos recorrer em caso de perigo que agrave ainda mais o panorama brasileiro.

— Como encontrar alguém ligado a essa gente? E... habilidades paranormais? Isso não lhe parece ficção? — Michaella procurava dar um tom de descrédito ao que ouvia, embora, na verdade, soubesse de mais coisas que os demais a respeito do assunto.

— Ora, Michaella! — respondeu Orione. — Imagine, por exemplo, se a humanidade do início do século XXI pudesse ver-nos agora, em pleno ano de 2079, e contemplasse o desenvolvimento tecnológico que alcançamos. A vigilância sobre os cidadãos do mundo por meio da WiiLuz; a NetCosmic e seus hologramas, que substituíram a antiga televisão e a internet; ou, ainda, o jovem de hoje, que se transporta por meios aéreos, a 50cm do chão, pelas ruas das nossas cidades... Como reagiria ao notar o que restou das cidades daqueles tempos e como estamos em vias de estruturar cidades debaixo d'água? Não consideraria tudo pura ficção ou delírio?

Michaella suspirou, algo irritada pela forma como fora interpretada, mas assentiu ao argumento de Orione.

— Tenho de concordar, padre — chamou-o assim

para irritá-lo também. — Com efeito, se alguém das primeiras décadas do século observasse tão somente nossa aparência na atualidade, bastante diferente da que tinham os humanos de então, já seria o suficiente para um grande susto e a provável rejeição do que, para nós, consiste na realidade mais trivial. Nossas cabeças sem cabelos causariam estranheza — disse enquanto escorregava os dedos sobre a cabeça, na espécie de peruca que era moda, e em seguida deslizou uma mão até o antebraço, alisando-o. — O mesmo se daria ante nossa pele ressecada, que requer hidratação a todo tempo, a fim de compensar a baixa umidade natural decorrente da escassez de água. Realmente, muitas coisas em nosso dia a dia seriam consideradas fantásticas por nossos antepassados deste século.

Logo se calaram. Orione julgou ter atingido seu objetivo ao desviar o pensamento de todos da atmosfera crispada que se produzira.

Entrementes, chegaram ao destino: uma das cidades serranas do Rio de Janeiro, onde exatamente naquele momento nevava — algo que ninguém no início do século imaginaria. A população saía às ruas admirando o evento climático mais surpreendente do ano. Crianças aproveitavam.

Orione desceu do veículo esticando o corpo, enquanto Michaella colhia amostras da neve, que lhe pareceu suspeita. Ela aconselhou os demais:

— Acredito que seria recomendável que todos se abrigassem e evitassem contato direto com a neve. Como sou desconfiada, prefiro não me expor.

Os três se entreolharam e logo fecharam seus trajes. Podiam até achar exagero a excentricidade de Michaella, mas como era a cientista quem falava, resolveram lhe dar ouvidos, ainda que mais tarde descobrissem não haver maiores problemas com os flocos que caíam do céu.

Os agentes do Vaticano saíram em busca de informações sobre a mudança climática na região, recorrendo às autoridades locais. Michaella, por outro lado, distanciou-se dos demais, procurando perdê-los de vista. Ao chegar defronte a um museu da cidade, adentrou o local, que lhe pareceu favorável para acionar o comunicador escondido na própria roupa. Passado algum tempo, ainda longe de seus acompanhantes, deteve-se em frente a um mural, uma pintura do século XIX que retratava a época imperial do Brasil, quando foi abordada por uma mulher de porte elegante e altivo, que destoava dos habitantes locais também pelos traços físicos.

— Michaella? — perguntou-lhe ao se aproximar.

— Isso mesmo! Você é Hadassa? — as duas teatralizavam, pois já se conheciam há muitos anos. Contudo, precaviam-se quanto a aparatos de vigilância e outros meios que pudessem capturar aquelas cenas.

— Muito prazer! — respondeu a mulher.

Ambas caminhavam vagarosamente, observando as obras de maneira discreta, sem se mostrarem íntimas nem mesmo perante as poucas pessoas que ali permaneciam por não se sentirem atraídas pela insólita nevasca.

— Trago informações preciosas de nossa equipe cá, na América do Sul — disse ao entregar a Michaella um dispositivo eletrônico cujo aspecto se assemelhava ao de um botão de camisa, mas continha dados codificados.

— E quanto à situação dos novos homens? — indagou Michaella, mostrando à recém-chegada, com naturalidade, uma faceta que mantivera oculta aos agentes do Vaticano.

— Somos apenas três aqui, na América do Sul, muito embora já tenhamos identificado um pequeno grupo disposto a se juntar a nós. Também mantivemos contato com núcleos que surgiram nos últimos anos no

Brasil com o intuito de auxiliar o povo na reconquista de liberdades. Há razões para ser auspiciosa, mas confesso: o que se esboça neste país é uma ameaça real, que pode se alastrar por todo o continente.

— Compreendo, Hadassa. Entretanto, neste momento, precisamos nos concentrar nos acontecimentos que, por sua abrangência, influenciarão o mundo ainda mais drasticamente. Os Estados Unidos, como sabe, não mantêm mais a unidade, e, em decorrência da cisão política, a Califórnia exerce uma influência ainda maior sobre os demais estados, principalmente depois de decretar a independência.

— No Brasil, também, a onda de emancipações parece ter chegado. Foi uma loucura nos últimos anos. O que mais preocupa, no entanto, é a situação das duas maiores metrópoles. A facção prevalente no Rio proclamou aquela cidade um estado à parte, à revelia de qualquer legalidade. A maioria das empresas e das pessoas dotadas de recursos deixou a cidade antes do ápice da crise. A esta altura, o governo local parece ter se rendido ao comando dos bandidos que tomaram a região. Ninguém sai ou entra na cidade sem ser identificado; sistemas eletrônicos de segurança identificam os veículos e seus condutores de forma automática ao se aproximarem das vias principais; os aeroportos, então, são vigiados como no estado de guerra.

— Quanto às comunidades mais próximas do mar, como ficaram após o avanço das águas?

— Essa é uma questão central para entender a tomada de poder por parte do crime organizado, Michaella. Como o governo oficial não tomou as atitudes esperadas e necessárias, o governo paralelo, formado pelas facções que se apropriaram da cidade, adiantou-se e, mesmo sendo temido por boa parte da população, auxiliou-a a sair das regiões mais afetadas. Resultado: acabou conquistando relativo apoio popular. Eu diria que um novo mapa da cidade, e, por conseguinte, do estado, está em desenvolvimento, bem como outra concepção de governo e de regime político. Ou seja, aqueles que eram combatidos como bandidos e traficantes acabaram por auxiliar a população, ainda que movidos por interesses escusos. O governo eleito pouco ou nada fez, pois, como sempre, está paralisado, dividido entre políticos que só fazem combater entre si, sem terem recursos sequer para custear os serviços públicos mais básicos, dada a história de má administração, endividamento crescente e sufocamento da economia. É incrível, mas hoje é o governo paralelo, liderado pelos grandes chefes do tráfico, que mantém escolas e serviços de saúde e proporciona certa segurança pública. As coisas se modificam com tal velocidade que agora é impossível saber quais serão os desdobramentos e como as regras do jogo de poder se estabelecerão.

— Os guardiões invisíveis falam alguma coisa a respeito para vocês, digo, sobre a situação do país?

— Sim, temos nos reunido sistematicamente a fim de preparar a maior parcela possível da população, religiosos e não religiosos, para os eventos próximos. A mim me parece que, apesar da intricada situação política instaurada pelos fundamentalistas neopentecostais, algo de novo se esboça no país e o fará se reerguer, em futuro bem próximo, como uma nação pujante, ao menos entre as do continente sul-americano — falou Hadassa, enquanto caminhava pelas salas do museu, observando os quadros expostos no intuito de dissimular o diálogo com Michaella, o qual se dava por meio de uma espécie de *chip* implantado em determinada região do cérebro. O artefato lhes conferia a habilidade de comunicar-se através de impulsos silenciosos, num método que bem poderia ser caracterizado como telepatia. A tecnologia ainda era inusitada para alguns, mas já difundida a ponto de ser acessível a ambas. Sobretudo, prevenia que o áudio da conversa fosse gravado por qualquer meio.

— Tenho acompanhado, desde o México, onde me encontrava, os avanços por aqui. Em diversos setores, vejo progresso, principalmente no que concerne à produção de alimentos em redomas dentro do mar. A despeito dos graves eventos sociais e políticos a que temos assistido, há um franco investimento em alternativas para a alimentação humana. Muitos países guerreiam entre si; aqui a guerra é interna, no entanto, não se pode negar que o país permanece como um celeiro para o restante do mundo. Bem sabemos que os mais de 10 bilhões de habitantes da atualidade precisam disso.

— Sim! Além do mais, embora haja uma tradição profundamente mística e religiosa — ou, talvez, precisamente em razão dela! —, temos conseguido recrutar e formar bons agentes. Treinados pela NetCosmic, têm desenvolvido a maturidade necessária à medida que progridem no manejo das habilidades paranormais, tudo num ritmo satisfatório, eu diria. Criamos um canal dedicado somente a este continente. Não obstante, Michaella, peço que revise todas as informações que acabo de lhe passar, pois precisamos de orientações quanto aos passos a seguir.

Em silêncio, meditando um pouco acerca dos acontecimentos e do que poderia haver de informações novas no equipamento que lhe passara Hadassa, Michaella, enfim, pronunciou-se:

— Convoque nossos agentes em todo o mundo. Envie o código de segurança e acione todos os demais, onde quer que se encontrem. Preciso fazer um pronunciamento. Preciso de equipamento da NetCosmic que, além da transmissão, faça a tradução para aqueles agentes que não compreendem as línguas mais comuns.

Enquanto as duas conversavam sem movimentarem os lábios, os padres Orione e Matheus entraram no museu à procura de Michaella. Assim que ela os percebeu, procurou dissimular o contato com Hadassa e saiu da sala por determinada porta, deixando a mulher sozinha no ambiente, como se fosse uma estranha qualquer que por ali estivesse.

— Estranho que você se interesse por arte a tal ponto de não tomar parte nas pesquisas sobre o que ocorre nesta região — comentou Orione ao se aproximar de Michaella.

— Às vezes, a história de um país pode nos ensinar bastante sobre os fenômenos sociais que acontecem debaixo de nossos olhos. Como não conhecia nada sobre o Brasil, resolvi observar um pouco, a começar por este museu. A arte de um povo e a maneira como retratam o passado nos dizem muito a seu respeito — despistou ela.

O padre suspirou e mudou de assunto:

— Conversei por algum tempo com um dos representantes do governo na cidade.

— E...?

— E a pessoa com quem conversei me deu informações preciosas. O clima no Sudeste do país vem sofrendo variações intensas há anos. Já se observaram diversos fenômenos considerados incomuns tanto aqui quanto em regiões vizinhas. Porém, ao que parece, o fato não foi devidamente investigado pelos cientistas locais, tampouco o estado deu maior atenção ao que ocorre não somente aqui, mas em diversas partes do país. Estão mais preocupados com a situação econômica e política do que com os eventos climáticos. A população parece calma a esse respeito; tais mudanças têm sido vistas como uma forma de atrair turistas. Não entendo como algo assim, tão grave, pode ser visto com tamanha tranquilidade; para mim, beira a irresponsabilidade.[15]

Michaella nada comentou, pois conhecia coisas a respeito do comportamento da população das quais Orione nem sequer desconfiava, como também não desconfiava que ela própria integrava o grupo conhecido como novos homens, a que fizera alusão durante a viagem. Nos tempos em que viviam, todo o cuidado ao compartilhar informações era recomendado.

Diante do silêncio de sua interlocutora, Orione

15. O componente ficcional deste texto se dá no escopo de uma distopia. Como tal, procura exacerbar traços do presente a fim de alertar os leitores quanto ao que lhes reservará o futuro caso se mantenha o percurso ou o rumo atual. Uma vez que se baseia expressamente em visões de caráter premonitório obtidas pelo espírito Edgar Cayce na dimensão extrafísica, tornava-se ainda mais pertinente indagar J. Verne a respeito do corrente trecho. Acaso faria coro à campanha da mudança climática esposada, talvez, por nove entre dez dirigentes políticos globais nos idos de 2016? O autor se eximiu de responder diretamente; afirmou que preferirá abordar em obra futura, que pretende escrever, a causa efetiva das variações climáticas relatadas. Em sua resposta, entretanto, falou em "ação

destrutiva do comportamento humano", que seria patente no trato com a natureza e que teria sofrido "acentuada piora após a Revolução Industrial", portanto, a partir de 1750. Tal ação se explicaria, entre outras razões, em virtude da "corrida desenfreada pelo ganho a qualquer custo". Buscando corroborar o cenário distópico que esboçou, no que tange ao meio ambiente, ele apontou para versículos que prenunciam a queima da terça parte dos vegetais e o envenenamento de um terço das águas (cf. Ap 8:7,11).

Com efeito, parece haver preocupações de ordem ecológica já nas últimas obras do ficcionista, morto em 1905, o que denotaria uma inclinação pessoal que remonta à mais recente encarnação. Mas não é só. Em semelhante direção, o espírito Alex Zarthú afirma que o comprometimento do ecossistema lhe causa apreensão no que concerne ao futuro da Terra, tendo em vista o que sabe da história de outros orbes. Ele é um dos coordenadores do trabalho do médium, ao lado do espírito Joseph Gleber, para quem o desenvolvimento científico é capaz de fazer frente à ameaça climática, reservando à questão certa dose de otimismo. Como se nota, nem mesmo entre espíritos esclarecidos o assunto parece esgotado. Na outra ponta do espectro espiritual, destacam-se menções que um personagem a serviço das sombras faz àquela causa. Ao discursar em um encontro dos Bilderbergs em Paris, ele indica: "Trabalhemos para que as guerras humanas (...) avancem", colocando "em escala maior os direitos ecológicos" (PINHEIRO, Robson. Pelo espírito Ângelo Inácio. *O agênere*. Contagem: Casa dos Espíritos, 2015. p. 231).

Destaca-se, por fim, o trabalho de um estatístico dinamarquês que, ao se debruçar sobre os dados disponíveis, atestou: a mudança climática produzida pelo homem é uma realidade. A conclusão não é consensual entre cientistas, mas parece predominante. Contudo, a originalidade de seu livro *O ambientalista cético*, ainda sem tradução para o português, está em apresentar o custo desmedido e a ineficácia da quase totalidade das medidas encampadas por políticos e postulantes do fenômeno que, até recentemente, denominavam aquecimento global. Além de reexaminar prioridades e propor soluções mais simples, baratas e eficientes, o autor critica a forma como tem se dado tal discussão, altamente politizada mesmo no âmbito das ciências. A passionalidade com que suas contribuições foram recebidas e contestadas na comunidade científica corrobora seu alerta (cf. LOMBORG, Bjørn. *The Skeptical Environmentalist*. New York: Cambridge University Press, 1998).

instigou-a a reagir, enquanto Matheus revisava apontamentos sobre a neve abundante que caía sobre a região.

— Então, encontrou algo que possa ser útil em sua análise? Parece-me que, por aqui, nada contribuirá para a sua investigação sobre os astros…

— Você tem razão, Orione — respondeu Michaella. — Por aqui, não vejo elementos que sejam úteis para minhas pesquisas, ao menos no que concerne às questões de âmbito externo ou extrassolar, como dizemos. Por outro lado, já posso inferir que

os acontecimentos que vêm ocorrendo ao redor do globo estão, de certo modo, conectados, como vocês suspeitavam. É forçoso reconhecer que algo incomum está em andamento no planeta.

Michaella não se revelou a Orione e Matheus. Enquanto conversavam, saíram do museu em direção a Damien, que vinha aflito em busca dos companheiros. Entre eufórico e preocupado, ele logo perguntou, transpirando, apesar do frio inabitual:

— Souberam das últimas notícias? — ele não esperou pela resposta. — O Papa Pedro II resolveu percorrer o mundo a fim de acalmar os ânimos dos fiéis. Numa atitude inédita e espantosa, ele elegeu onze cardeais para compor a comitiva, entre os mais próximos e afinados com sua política.

— Onze cardeais? Mas nenhum papa fez isso no passado! — admirou-se Matheus.

— Exatamente! A Santa Sé está em polvorosa. Já há quem diga que os doze, o Santo Padre e os onze cardeais, simbolizam os doze apóstolos. Não resta dúvida de que essa forma de agir, saindo em peregrinação pelo mundo cristão, terá enorme impacto sobre a comunidade católica e também sobre não católicos. Ele não está de brincadeira: anunciou que ficará um ano inteiro em viagem, fora de Roma, e o objetivo não é nada menos do que a pacificação do mundo. Recebi agora há pouco o comunicado de Sua Eminência, o Cardeal Duncan, que está muito preocupado com tudo o que vem acontecendo.

Desciam as escadas do museu com certo vagar quando Orione comentou:

— Bem, isso não é algo exatamente chocante. É apenas uma atitude diferente do nosso sagrado padre, nada mais. Ele age como nenhum antes dele agiu. Mas também, amigos — disse de maneira pausada —, hão de convir: nunca o mundo viu momentos como os que vivemos. Acredito sinceramente que, diante de coisas, fatos e acontecimentos incomuns, atitudes intensas e inesperadas se fazem necessárias, tal como essa a que recorreu o santíssimo papa.

Apesar de as palavras de Orione exprimirem uma lógica compreensível, Damien não se conformava. Matheus também dava mostras de compartilhar das preocupações de Damien, embora sem tanto receio.

Enquanto andavam pelas ruas da cidade, Michaella recebeu um comunicado urgente.

— Tenho de me ausentar, senhores — disse ela. — Devo regressar a São Paulo urgentemente e, de lá, talvez precise voltar ao observatório.

— Mas você não deixou o instituto nas Canárias praticamente em fuga, temendo destino semelhante ao de Herrieth, sem falar na perseguição sofrida em seu país? — perguntou Orione, assustado com o tom de voz da mulher. — Como poderá retornar para lá? O que está acontecendo? Diga, Michaella!

— Desculpe, mas é urgente; tenho de partir.

— Sim, isso eu entendi! Só não entendi como e por que voltará exatamente ao local de onde fugiu...

Os três padres fitaram-na com um olhar de curiosidade, entretanto, somente Damien sentia mais intensamente que as coisas não iam bem. O medo crescera e estava prestes a desencadear um ataque de pânico.

— Um dos pesquisadores que encontrei no México, Dr. Vran Kaus Erlan, conseguiu uma visita prolongada num dos radiotelescópios mais modernos, a fim de realizarmos observações mais apuradas. Construído nos anos de 2030, é hoje um dos mais cotados em todo o mundo. O dado novo é que o astro detectado anteriormente, e que motivou a minha saída das Canárias, foi apontado por outro grupo de cientistas e acaba de ser admitido oficialmente, embora em caráter confidencial. Ele está em rota de colisão com a Terra, segundo acreditam. Porém, tenho provas de que não colidirá diretamente com a Terra, mas com a Lua. Ainda que ambos os casos sejam catastróficos, é preciso checar as coordenadas antes que a notícia vaze e cause celeuma em todo o mundo. Segundo o Dr. Kaus, em quem confio, o alarme soou, e os principais países marcaram um encontro entre cientistas e autoridades, com a presença de comandantes das forças armadas, para discutir como impedir o choque com o asteroide. Quero estar lá; disponho de informações que eles talvez desconheçam.

Os pesquisadores se entreolharam e decidiram, sem pronunciarem palavra, seguir com Michaella rumo a São Paulo. Saíram imediatamente e com pressa da cidade, até porque já haviam coletado dados bastantes no ambiente onde se registrava a drástica transformação dos fatores climáticos. Quando desciam a serra em direção à grande metrópole, decidiram não viajar a São Paulo no veículo locado, mas, sim, deixá-lo no aeroporto carioca e, de lá, seguir de avião.

— Tem alguma chance de o asteroide colidir com a Terra ainda neste ano? — perguntou Damien, visivelmente alterado.

— Não com a Terra, mas com a Lua. E a resposta será "não" caso o deixem seguir seu percurso natural. Mas temo que queiram fazer algo, o que teria graves consequências…

— Fazer o que, por exemplo? E o que poderia ter consequências mais graves do que uma colisão direta com nosso satélite natural? — foi a vez de Matheus indagar.

— Não sei, meus caros; sinceramente, não sei.

Michaella colocou sua mão sobre a de Orione, que correspondeu naturalmente, mesmo à frente dos outros padres. Nenhum dos dois notou ou teve consciência do que fazia. Todos estavam apreensivos, e o instinto aproximou o casal com a maior espontaneidade possível. Somente depois de alguns minutos os dois se aperceberam do gesto e, olhando um para o outro, afastaram-se.

A situação na cidade era mais complicada do que apontaram os instrumentos de navegação. Fez-se necessário desviar de uma multidão que fazia manifestações contrárias ao novo governo gospel, que, afinal, ascendera ao poder. Havia gente por toda parte. Demoraram cerca de duas horas somente para escapar do tumulto. Logo depois, tiveram contratempos de outra ordem. Ninguém acessava o aeroporto sem um salvo-conduto, que somente era concedido por um representante do governo alternativo, como diziam na região. Para passar, fizeram valer o *status* de sacerdotes a serviço do Vaticano, embora isso não os eximisse de pagar certa quantia em espécie. Assim, adentraram o maior entre os três aeroportos da cidade, inaugurado por volta do ano de 2030. Havia quatro postos de controle antes de chegarem ao aeroporto propriamente, talvez para evitar a multidão que fora às ruas em protesto ao novo governo.

— Pelo visto, muita gente está protestando contra o novo poder que subiu ao governo.

— Não será um período fácil, nem para o novo

governo nem para o povo. Um presidente gospel com maioria no parlamento… não será nada fácil para a população que não pensa de acordo com a cartilha dos novos mandatários.

Chegaram ao aeroporto e somente então ligaram a NetCosmic para ver as notícias no mundo. Porta--aviões rumavam para a região do Golfo Pérsico, e também havia uma concentração de embarcações russas e chinesas no Mediterrâneo, próximo a Gaza. Israel aliara-se aos norte-americanos após mais de dez anos separados em termos diplomáticos. A autoridade palestina, agora um estado reconhecido mundialmente, recebia apoio da França, da Inglaterra e de dois outros países, armando-se para enfrentar o inimigo. Enfim, havia tremenda tensão, conchavos políticos, e o risco de tudo culminar numa possível guerra total pairava no ar. O cenário se afigurava mais complexo do que em anos anteriores, dados o avanço da tecnologia de manipulação climática, o desenvolvimento de armas ainda mais potentes e de largo alcance e a utilização de robôs e de homens preparados ciberneticamente, com implantes neurais. A região onde se congregavam as forças em oposição regurgitava de armas e de toda espécie de invento, dos mais sofisticados na era tecnológica da segunda metade do século XXI. Segundo as explicações do apresentador na NetVision — uma espécie de TV transdimensional, que utilizava projeções holográficas em três dimensões —, as tentativas de pacificação até o momento haviam fracassado. Somente algo bem mais grave seria capaz de abortar a guerra iminente.

Por alguns instantes, Michaella conseguiu se afastar dos padres, a fim de entrar em contato com os agentes guardiões espalhados pelo planeta. Formavam uma rede de auxílio que se preparava há décadas para enfrentar um momento como aquele, que se afigurava inexorável há tempos. Tão logo terminou a ligação, recebeu um comunicado do amigo Dr. Vran Kaus.

— Sei que estudou pormenores sobre a trajetória do astro, Michaella. Também sei que cientistas de renome confirmaram o que você detectou e mapeou sobre a probabilidade da colisão do asteroide com a Lua. Colegas nossos do Canadá, da França e do México ratificam seus cálculos. Por isso recomendei que você fosse convidada a comparecer à reunião do próximo fim de semana. Ignoram nossa ligação estreita nas pesquisas, mas também fui chamado.

— Não sei se me ouvirão... Acha que sim? Do jeito

como as coisas andam ultimamente, este é um bom momento para muitos interesseiros se projetarem no meio científico, em busca de aplauso e dinheiro. Seja como for, o que está em jogo é muito grave.

— Sei de sua resistência, Michaella, mas não há outra pessoa mais preparada entre nós para explicar o que está acontecendo efetivamente. Existe uma tendência muito acentuada de empregarem força bélica e tecnologia a fim de perturbar a rota do asteroide.

— Isso seria um desastre, talvez ainda maior. Como bem sabemos, ele pode se estilhaçar em milhares de pedaços e, mesmo assim, não se desviar. Foi o que concluímos ao examinarmos a composição do corpo celeste quando utilizamos o radiotelescópio.

— Sei disso, minha cara, e é justamente por isso que desejo sua presença urgentemente. Você há de convir que não temos como nos eximir; devemos nos expor: você, nossa equipe e eu.

Depois de um silêncio incômodo, respeitado pelo interlocutor, Michaella assentiu por completo:

— Onde será a reunião?

— Tudo está preparado para ser em Capta Valley, na Califórnia, um local onde se destacam empreendimentos na área espacial desde a década de 2040.

Porém, os chineses entraram na disputa para que se realize em Pequim. Até amanhã já teremos tudo isso resolvido na reunião de emergência do Conselho de Segurança das Nações Unidas, que foi convocada ontem, embora a pretexto da escalada do conflito no Oriente Médio.

— Haverá demora até chegarem a uma decisão.

— Não creio, Michaella. Diante das circunstâncias, até mesmo as forças da Rússia e da China, posicionadas para o confronto iminente no Mediterrâneo e no Golfo Pérsico, detiveram o passo. Todos aguardam o resultado da reunião na ONU, que, infelizmente, não discutirá nada sobre a guerra, mas sobre o inimigo comum que se aproxima do espaço.

— E para onde me aconselha a ir, uma vez que ainda não se decidiu o local?

— Tudo indica que será mesmo no Capta Valley. Aguardo-a por lá; caso haja decisão em prol de Pequim, será mais fácil sairmos de lá do que do país onde se encontra. Parece que por aí as coisas não andam nada boas...

— E por acaso a situação está tranquila em algum lugar?

Dr. Vran Kaus calou-se, dando a entender sua

preocupação com a conjuntura internacional. Desligaram em seguida.

Assim que Michaella encerrou a ligação, Matheus a procurou, ainda no aeroporto, visivelmente nervoso:

— Michaella, acho que isso aqui tem relação com o resultado de suas pesquisas. Veja! — e projetou o holograma de um noticiário irradiado diretamente de Londres, que informava: "O aumento repentino do nível do mar preocupa as autoridades de diversos países. Depois que países como Holanda, Chile, Brasil, Colômbia e Equador, entre outros, enfrentaram eventos catastróficos há cerca de quinze anos, novo avanço das águas marítimas sobre os continentes é uma das maiores preocupações. As causas para o derretimento das calotas polares ainda não são claras. (...) O terremoto em Jerusalém, que dividiu a cidade santa em territórios cristãos e muçulmanos..." — o repórter prosseguia enumerando as recentes catástrofes, que pareciam se multiplicar.

Após tudo isso, os acontecimentos se precipitaram. Transcorridos três dias, Michaella, a cientista russa, encontraria o colega de origem holandesa na conferência entre as nações mais poderosas. Teria, então, oportunidade de apresentar-lhes as descobertas a respeito do asteroide. Pelo menos era isso que ela pensava.

O local estava repleto de autoridades, entre políticos, diplomatas, militares e cientistas. O ingresso de repórteres não foi consentido, pois se temia que a repercussão das notícias instaurasse o caos. Líderes dos países ali representados também se mantinham a postos em seus respectivos gabinetes, à espera das deliberações que seriam tomadas. Além do mais, estavam de prontidão quanto à guerra iminente por parte das grandes potências. A tensão no ar era quase palpável. Um batalhão de soldados da ONU garantia a segurança e permanecia atento a possíveis tumultos, como situações críticas feito aquela propiciavam.

Foi nesse clima que chegaram os dois amigos, Michaella e Dr. Vran Kaus, que, logo ao adentrarem o local, notaram o ambiente hostil por parte de certos cientistas, que disputavam cada qual o posto de celebridade perante os líderes mundiais. Michaella decidiu ficar mais retirada, observando as telas e as discussões acaloradas.

— Não há outra forma de agir senão enviando um grupo de astronautas a fim de instalar foguetes no asteroide; assim, poderemos impulsioná-lo, alterando pelo menos em 5 graus sua trajetória atual. Desse modo, conseguiremos evitar a colisão, cujo impacto destruiria nossa civilização — quase berrava o porta-voz de determinado grupo minoritário de cientistas que pensavam como ele, reunidos em torno de uma projeção holográfica.

— Discordamos terminantemente dessa ideia — afirmou o militar representante do conglomerado de países do bloco norte, do qual os Estados Unidos faziam parte. — Se fossem tão bons em estratégia, teriam notado a tempo o astro intruso que vem em nossa direção. Por que foram tão surpreendidos quanto nós, militares? Optamos por destruir o asteroide no espaço, estilhaçando-o e transformando-o em poeira cósmica. Uma vez instalada uma bomba G de última geração, não há muitos obstáculos mais. Temos condições de enviá-la até o asteroide em apenas dois dias.

— Dois dias? Mesmo com toda a nossa tecnologia reunida, isso é impossível! — reagiu um dos cientistas ligados ao grupo oriental. — A menos que tenham uma bomba G em uma base na Lua ou, até, na estação espacial em torno de Marte!

A conclusão soou aterradora em meio aos demais diplomatas e presentes.

— Como vocês conseguiram contrabandear uma bomba G para a base lunar, bem debaixo dos nossos olhos? — um chinês elevou a voz, todo alvoroçado.

— Idiota! Idiota! — falou um militar de alta patente do Canadá àquele porta-voz que fora flagrado em uma inconsistência e não soube reagir de imediato. — Você nos entregou perante a comunidade internacional!

As centenas de pessoas ali reunidas viam o rumo da discussão se perder. O foco, então, voltava-se à atitude do bloco norte, que feria por completo o tratado celebrado entre as nações no que respeitava à exploração lunar, cujos termos estabeleciam que todas deveriam trabalhar em conjunto, porém sem o uso de armamentos. Dispararam-se as comunicações via VideoVision — uma espécie de sucessor dos telefones celulares, mas dotado de inovações tecnológicas que o diferenciavam bastante daqueles antiquados aparelhos de comunicação. Através de implantes ópticos, os diplomatas e os oficiais comunicavam-se com seus respectivos países, dando conta do que viam como um disparate: o desrespeito das potências do bloco norte aos tratados vigentes há mais de vinte anos. Era algo inadmissível e, portanto, mais um forte componente para acender o estopim da guerra total.

— Vocês estão cientes de que sua atitude de levar à base lunar armas pesadas, de efeito destrutivo, infringe os acordos internacionais?

Os militares tentaram justificar-se afirmando que fora um erro de comunicação; alegaram que, na verdade, a única bomba era a da base de Marte, na região conhecida como Cidônia. Nada adiantou, pois a situação ficou ainda mais inflamada do que antes, culminando logo em bate-bocas entre políticos, militares e cientistas. As forças de segurança foram convocadas para entrar em ação e disparar armas hipnóticas de baixo efeito sobre todos, na tentativa de acalmar os ânimos. Tais dispositivos eram usados na maioria dos países desenvolvidos, principalmente em manifestações de massa, quando fugiam ao controle. O resultado não foi tão eficiente como esperado; mesmo assim, parte dos que foram atingidos pelas irradiações se acalmou. De fato, as personalidades mais influentes dispunham de implantes que as tornavam imunes a tais recursos.

Naturalmente, algumas pessoas que eram fonte de jornalistas deram um jeito de, em meio ao tumulto, passar informações, discretamente. Delataram a construção de armas, principalmente da bomba G ou bomba gravitacional, cujo poder destruidor era maior que o da bomba de hidrogênio, temida por diversos países, ou mesmo maior que o da bomba nuclear, naquela altura, já aposentada há décadas.

— Como ficaremos diante dos fatos apresentados por vocês, norte-americanos? Como poderemos confiar em sua conduta diante dessa atitude totalmente contrária aos pactos celebrados entre todos nós? — a pergunta veio de um general russo, que se mostrava irado diante da informação revelada inadvertidamente.

Contudo, era puro teatro; todas as delegações sabiam que os principais países também mantinham um arsenal em algum lugar oculto na Lua, ou em alguma estação espacial. Era o caso da China, líder na corrida espacial desde meados da década de 2020.

Um cientista ousou interferir, ao mesmo tempo que erguia um campo visual através de holograma projetado à frente de todos. Ignorando propositadamente as discussões sobre as armas do bloco norte — e outras escondidas em algum recanto do Sistema Solar —, exibiu a trajetória do astro, que continuava vindo em direção à Terra, segundo apontavam as evidências e os cálculos matemáticos.

— Temos pouco menos de um ano para implementar as decisões, sejam quais forem, antes do colapso total de nosso sistema de vida.

— Quer dizer que em um ano haverá a colisão fatal entre o astro e a Terra? — perguntou um militar do bloco oriental.

Notando que conseguira a atenção da maioria, o cientista ficou satisfeito, pois era seu intento chamar todos de volta ao problema original, que ameaçava a todos.

— Na verdade — retomou Dr. Willany —, temos aproximadamente um ano antes que nosso sistema de comunicação e nossa NetCosmic deixem de funcionar completamente, devido às alterações magnéticas que agora mesmo já se fazem sentir na Terra.

O vozerio de um grupo de vinte homens e mulheres se fez ouvir, novamente ameaçando tumulto. Contudo, o cientista foi perspicaz; alterou o timbre de sua voz, sobressaindo-se aos demais, e prosseguiu:

— Já podemos sentir os efeitos magnéticos do astro, mesmo que ainda esteja relativamente distante da Terra. Como têm visto, há mais de quinze anos, furacões, maremotos, *tsunamis* e outros eventos climáticos avassalam o planeta com incidência muito acima da média, modificando substancialmente a superfície terrena. Muitas de nossas cidades foram completamente tomadas pelo mar ou varridas do mapa. Felizmente, conseguimos reconstruir várias delas, mediante cooperação tecnológica e colaboração. Não obstante, a ameaça de novos cataclismos vem nos rondando permanentemente ao longo das últimas décadas. Há algumas semanas, como sabem, o nível dos oceanos voltou a subir; desta vez, em apenas algumas semanas as águas avançaram o equivalente ao normal, em média, para vinte anos. As bases na Antártida e no ártico estudam cada detalhe e já concluem apontando que o planeta está sob alguma influência ignorada. Estamos seguros de que o agente responsável é a força gravitacional do asteroide.

"Notem o que ocorre, por exemplo, na costa dos Estados Unidos. A América do Sul também sofre alterações sensíveis, além das causadas quinze anos atrás. Vendavais e *tsunamis* ameaçam o que restou do Japão depois dos desastres passados há vinte anos, e, mesmo tendo sido reconstruída boa parte do país em outro lugar, as ilhas remanescentes estão sob séria ameaça. O mesmo se dá com o que restou do território original dos Países Baixos. Nenhuma tecnologia atual é capaz de dominar a natureza em fúria. Hoje temos condições de prever variações climáticas e térmicas com uma precisão notável; também somos capazes de manipular o clima em diversos lugares do planeta, mas somente para piorar as condições naturais, já que nada conseguimos a fim de revertê-las. Assim, senhores, antes do colapso total, dispomos de apenas alguns meses para solucionar o desafio. Segundo nossos cálculos, seis meses será o tempo máximo que aguentaremos administrando os efeitos do bólide sobre os fenômenos naturais e os revezes sobre nossas comunicações e tecnologias."

O silêncio total foi a resposta de todos diante do que ouviram do renomado cientista. Ninguém ousava falar coisa alguma. O silêncio só foi interrompido quando o Dr. Vran Kaus, que havia ficado quieto até o momento, interferiu e chamou a atenção de todos ali.

— Com licença, senhores. Queiram desculpar a intromissão, mas trago dados um pouco diferentes, ainda que não mais fáceis de enfrentar.

— Quem é o senhor? Em nome de quem está aqui? — perguntou um dos presentes, um militar arrogante do bloco oriental.

— Caros senhores, autoridades aqui presentes, fomos convidados, minha colega e eu — apontou para

Michaella, que se aproximou lentamente, atraindo os olhares para si. — Sou o Dr. Vran Kaus, e Michaella faz parte de minha equipe de astrofísica. Trabalhamos durante muito tempo no instituto das Canárias e, mais tarde, no grande observatório, mais moderno, construído na década de 2030.

— Dr. Vran Kaus! Não é o senhor que acoberta a mulher procurada por todo o bloco soviético? É essa a senhora que todos procuram? — perguntou um cientista renomado, levantando-se da cadeira onde acomodava o peso do corpo de mais de 100kg.

— Vran Kaus, a serviço da humanidade, senhores — respondeu o cientista, erguendo o olhar em direção ao homem que o encarara, submetendo-o ao domínio mental quase hipnoticamente. — Esta é a cientista com a qual minha equipe trabalha há mais de cinco anos e foi ela quem descobriu, há cerca de três anos, o asteroide do qual vocês só se deram conta há bem menos de três meses. Foi ela, também, quem apresentou a descoberta para os senhores, do bloco soviético — falou, encarando, assim, cientistas e militares russos ali presentes —, e os senhores fizeram de tudo para silenciá-la. Tenho aqui as provas e os cálculos apresentados na ocasião e outros posteriores.

— Com que autoridade o senhor e sua pupila entram em nosso recinto?

Naquele momento, uma autoridade científica respeitada levantou-se para apresentá-los aos demais, na tentativa de que fossem ouvidos:

— Eu mesmo os convidei, senhores! — falou o Dr. Ryann, cientista a serviço da ONU em Genebra, o qual trabalhava num complexo de laboratórios escondido nos Alpes e desconhecido da maioria dos presentes. — O Dr. Vran Kaus é velho conhecido, e já realizamos diversos trabalhos e pesquisas juntos. Foi sob a sua supervisão que conseguimos resolver o problema da base de Cidônia, encontrando uma solução para nos locomover na atmosfera de Marte, segundo as necessidades e as características dos habitantes cá, da Terra.

Todos pareciam respeitar o Dr. Ryann, embora desconhecessem suas pesquisas atuais. Dessa forma, fez menção de passar a palavra à dupla.

— Ela é procurada por nosso governo — redarguiu o militar russo, à espera de qualquer ordem a fim de impedir os dois cientistas de falarem.

Dr. Ryann foi muito enfático:

— Se tivessem dado ouvidos ao que Michaella descobriu e o tivessem divulgado, não estaríamos assim, prestes a ser destruídos. Haveríamos tido muito mais tempo para os preparativos e para ponderar sobre as decisões acertadas.

O militar calou-se, enquanto os demais ali presentes começaram a se questionar quanto aos motivos pelos quais o bloco soviético havia tentado silenciar a cientista. Embora a tensão beirasse uma explosão emocional, que seria gravíssima naquele momento, Dr. Kaus aproveitou o instante de silêncio e não se deteve:

— Minha colega Michaella tem aqui os registros, com as devidas considerações e datados meticulosamente, desde as primeiras observações realizadas no instituto das Canárias.

Apesar do boicote por parte de cientistas ali presentes que queriam reivindicar o mérito exclusivo pela descoberta, Michaella tomou a palavra. Temiam, ainda, que a dupla apresentasse evidências que os desacreditassem perante os representantes das nações mais poderosas do planeta. De forma ágil e resoluta, ela principiou:

— Senhores, autoridades aqui presentes; senhores cientistas e demais pesquisadores. Entrego a vocês todo o fruto de nossas pesquisas, realizadas em conjunto por uma equipe composta por mais de uma dezena de cientistas consagrados, de diversos países, membros não somente de um bloco de poder.

Ao dizer isso, entregou a um representante da ONU uma espécie de mídia eletrônica, o qual passou a transferir os dados ao computador. Descortinando de imediato e sem restrições as descobertas, Michaella ajudou a quebrar resistências. Tudo era muito rápido e transmitido em base de fótons ou células-luz, como ficaram conhecidas a partir da introdução dos novos computadores subluz. Uma projeção holográfica tri-

dimensional ergueu-se diante de todos, chamando a sua atenção.

— Como veem, fizemos os cálculos mais de cem vezes antes de procurarmos as autoridades competentes no bloco soviético. Logo passamos a fugir da perseguição que eu e meus colegas sofremos desde então. Está tudo aqui, neste quadrante — apontou para o holograma que se destacava diante de todos. — O astro foi mapeado até pelo grande telescópio da base chinesa em Ganimedes e, também, examinado no telescópio localizado nas bordas de Mare Imbrium, na Lua. As evidências apontam de modo conclusivo para o fato de que o astro não colidirá com a Terra.

Assim sendo, submeto os cálculos aos senhores cientistas aqui presentes.

Todos respiraram com certo alívio diante da notícia, embora a maioria ali presente não entendesse, principalmente entre os militares, os complicados cálculos de física e matemática apresentados no diagrama à frente de todos.

— Apesar de o ponto de impacto do asteroide não ser a Terra, não estamos com nenhuma vantagem. A Lua será o local onde o astro colidirá, e os desastres para a vida terrena serão graves de qualquer forma, embora em menor grau em comparação com uma colisão direta com o planeta. Temos convicção de que esta hipótese, felizmente descartada — falou Michaella, apontando para outros dados apresentados no holograma —, produziria um estrago dificilmente recuperável. O bólide tem aproximadamente 2,5 km de extensão, embora apresente formato irregular.

Todos se alteraram ao ouvirem Michaella descrever o tamanho do asteroide e as consequências a serem causadas pelo impacto. O cientista-chefe que se manifestara antes mais uma vez tentou ganhar a atenção:

— Se me permite, senhora cientista — falou em tom de ironia. — Como pôde medir inclusive o tamanho do asteroide pesquisando somente na base das Canárias? Ou será que teria alguma explicação razoável e aceitável a respeito de como a digníssima senhora conseguiu acesso aos computadores de Cidônia, da base lunar ou de Ganimedes?

Voltando-se para ele, Michaella respondeu, sem se expor mais do que o necessário, pois sabia bem que sua situação ali seria de grande risco caso as coisas se voltassem contra ela:

— Desculpe, eminente cavalheiro, mas nunca disse que acessei a base de Cidônia. Se me permite continuar, explico melhor o que apresento aos digníssimos senhores — voltou-se para os demais com um ligeiro frio no estômago, prenúncio de perigo, como sempre sentia em situações assim. — A lua terrena é o local onde o impacto ocorrerá. E, sim, os eminentes cientistas estão corretos quanto ao período que temos até que se dê a colisão. Contudo, alerto aos senhores que de modo algum devemos explodir o asteroide, pois tal medida representaria um perigo ainda maior para a nossa civilização.

Enquanto os cientistas permaneciam totalmente concentrados nos cálculos realizados por Michaella e sua equipe, um dos generais perguntou, interessado:

— E o que sugere, então, a dama cientista? Que instalemos os foguetes e os acionemos, conforme foi recomendado no início da conversa? Afinal, é preciso sair daqui com algo mais concreto e tomar as devidas providências, como decerto me entende.

— Sim — interferiu Dr. Vran Kaus, tomando o lugar de Michaella enquanto esta auxiliava um dos cientistas a acessar os dados ali apresentados. — Vislumbrávamos duas alternativas ou soluções, que, se implementadas a tempo, o que não temos mais, poderiam desviar o asteroide de seu curso e evitar o pior. Porém, como não tivemos mais acesso aos computadores mais potentes do Sistema Solar, e mesmo da Terra, não concluímos os cálculos nesse sentido. Fomos praticamente caçados desde a apresentação da descoberta do astro.

Novamente os ânimos se alteraram, culpando os militares do bloco soviético por haverem escondido as informações ou impedido que chegassem a quem tinha condições de alertar a comunidade científica mundial sobre os fatos graves em andamento. O tempo perdido por certo daria condições de evitar uma catástrofe maior.

— Então está a nos dizer que não há mais jeito? Resta-nos apenas colocar foguetes no asteroide e desviá-lo da trajetória? Ou isso ou a destruição da Lua?

— Talvez não compreendam por completo, senhores. Explicarei melhor. Caso a Lua seja atingida, o impacto será suficiente para tirá-la de sua órbita em torno da Terra. Já pensaram nas consequências disso? Se já não somos capazes de lidar com a fúria da natureza conforme vemos há mais de quinze anos, imaginem os efeitos catastróficos... como maremotos e *tsunamis* tão devastadores que os maiores enfrentados até agora pareceriam uma leve brisa. Além do mais, existe o risco do desastre maior, caso uma parte do asteroide ou da própria Lua, eventualmente, após o impacto inicial, projete-se sobre a crosta. Isso foge a qualquer possibilidade de cálculo de nossa parte.

O cientista-chefe da equipe chamada pela ONU, inconformado com o fato de que suas observações eram bem menos completas do que os dados apresentados por Michaella, levantou-se abruptamente, em meio aos ânimos já alterados, e uma vez mais tentou intimidar os dois, Michaella e Dr. Vran Kaus.

— Quero saber, caros senhores, como tiveram acesso aos computadores mais sofisticados do Sistema Solar para conseguir tais informações!

Todos ficaram em silêncio, como se tal informação fosse mais importante do que o destino do planeta. Tudo era parte do jogo político, que se sobrepunha ao interesse real de auxílio à humanidade, ainda que todos pertencessem à humanidade terrena e que as conclusões enunciadas pela dupla se mostrassem consistentes.

A situação era intricada, mas Michaella preferiu ser franca, mesmo que lhe custasse a própria segurança. Ela olhou de forma enigmática para seu amigo Vran Kaus e declarou:

— Pois bem, senhores! Como fui impedida de continuar os cálculos nos computadores e no radiotelescópio das Canárias, tive de fugir para outros recantos do planeta com os dados coletados até então. Conheci cientistas que sondavam o espaço e estavam prestes a descobrir o mesmo; porém, também não tinham como realizar cálculos tão complexos em computadores comuns. Foi aí que me lembrei de algo que aprendi sobre segurança de informação e sobre os cálculos e os progressos da nossa tecnologia sub-luz. Estudei durante dois meses sobre como acessar, daqui, da Terra, os sistemas de computação de bases no espaço. Como era impossível o ingresso em tais locais, optamos por acessar o sistema do governo chinês, que administra uma base em Ganimedes, e o sistema do bloco norte, que mantém outra em Cidônia. O resto foi fácil. Como todo sistema de segurança nunca é tão seguro como imaginam seus idealizadores, conseguimos explorar, durante um lapso de tempo de três nanossegundos, determinada falha de segurança, a qual nos permitiu enviar um impulso; a partir daí, os computadores fizeram todos os cálculos por nós. Nesse impulso, havia uma programação para que os dados fossem enviados diretamente ao computador central do grande radiotelescópio mais potente do mundo. O restante da história os senhores já conhecem.

Todos ficaram visivelmente exaltados, esquecendo-se imediatamente do perigo real e desviando a atenção, agora, para Michaella. A partir de então, ela foi considerada inimiga número um, um perigo real para a segurança nacional de vários países ali representados. Como ela sabia das reações provocadas, tratou de assumir toda a responsabilidade. Falando mais alto do que de costume, a cientista arrematou:

— Como meus amigos Dr. Vran Kaus e sua equipe se colocaram contra minha atitude, resolvi empreender sozinha o acesso ilegal aos computadores das bases Cidônia e Ganimedes.

Daquele ponto em diante, não foi mais ouvida pela plateia, que discutia com alvoroço o que fazer mediante a notícia da invasão aos sistemas de segurança. Se uma simples cientista qualquer conseguira romper as barreiras dos sistemas de computação mais secretos do planeta, então, não estavam a salvo uns dos outros. Esqueceram-se do asteroide e começaram a ligar para seus países, alertando sobre a falha de segurança e sobre o atentado, como diziam, perpetrado por uma única mulher. Três guardas se apressaram para levar Michaella dali, cumprindo ordens diretas de um militar de alta patente. Como nem quiseram ouvir as explicações dela, levaram também o Dr. Vran Kaus e o Dr. Ryann, considerados cúmplices. Havia azáfama por todo lado. Com ânimos tão alterados, a reunião terminou sem chegarem a nenhum acordo sobre o que deveria ser feito.

CAPÍTULO 3
PLANO DE DESTRUIÇÃO

9 DE MARÇO DE 2080.

— Nós falhamos, Pastor Irineu! Falhamos, e falhamos vergonhosamente...

— Sim, meu amigo! Nunca previmos que o partido gospel se uniria a políticos corruptos que se diziam convertidos apenas para ganhar votos dos neopentecostais. Nem sequer imaginamos que uma aliança entre esses políticos corruptos, dois bandidos ou chefes de quadrilha e um líder religioso tão carismático, pudesse constituir a base de novo governo.

— E quanto ao fato de uma cidade inteira, tão expressiva no cenário nacional, ver-se à mercê de uma facção criminosa, que forma o governo paralelo? É algo que as gerações passadas jamais imaginaram.

— Quase ninguém deu importância à medida que notórios criminosos eram gradativamente eleitos deputados, governadores e até senadores e ocupavam diversos outros cargos no governo oficial. Uma vez efetuada uma espécie de limpeza, mesmo que parcial, no alto da cadeia de comando da nação, muitos desses homens públicos, filhos da corrupção, reuniram-se onde o crime era menos esperado.

— Sim, Pr. Irineu, mas o pior mesmo foi quando alguns pastores se aliaram ao crime organizado. Delinquentes declarados lhes propuseram um plano que soou irrecusável. Como tais sacerdotes nunca honraram seu mandato espiritual e seu ministério, assentiram e apresentaram os malfeitores aos crentes como se os tivessem convertido e como se estes apoiassem francamente as ações do povo de Deus. Assim, ganharam livre acesso às camadas mais fanáticas da população, aos que procuravam uma saída salvacionista. Dessa forma, pouco a pouco, o partido gospel foi conquistando o poder na cidade, e, hoje, vemo-nos impotentes para desmascará-los diante de um povo crédulo e manipulado pelas promessas.[16]

16. Planos das sombras que ecoam os fatos aqui descritos já foram vistos em outras obras do autor. Eis um excerto do que afirma um agênere, artífice das trevas, ao discursar: "Nesse momento entrará em cena o papel da religião salvacionista, que acalmará o povo com suas crenças infundadas, mas altamente sugestivas, e que, afinal, servem a nosso regime. Os religiosos, munidos de seus livros sagrados, em pouco tempo ganharão as ruas, as bancadas eleitorais e o poder público, e será divertido usá-los de maneira a se convencerem de que implantam um reino divino na Terra, mas à custa da perseguição a quem quer que não pense como eles" (PINHEIRO. *O agênere*. Op. cit. p. 235-236).

— É exatamente isso. Na verdade, mais do que impotentes, creio que fomos covardes, uma vez que não nos pronunciamos quando tivemos oportunidade — constatou Irineu, demonstrando certa tristeza. — Hoje, já é tarde, e a cidade está dominada. De um lado, pela coalizão que se esconde sob o véu da religião, aliando ministros corruptos a criminosos manifestos; de outro, pelo governo oficial, que consiste numa elite que, notoriamente, vende-se a facções dos demais traficantes. Pergunto-me: quando e o que poderá colocar fim nessa situação?

— Para mim, pastor, só há duas alternativas capazes de impedir que esse mal se alastre pelo país: ou nossa união, entre evangélicos tradicionais e irmãos católicos, que simpatizam conosco e também veem o problema se agravar dia a dia, ou uma interferência de Deus de modo mais drástico.

Os dois amigos se calaram, pois admitiam sua incapacidade momentânea de modificar o contexto em que viviam. Ao mesmo tempo, não tinham fé suficiente para conclamarem ou confiarem numa interferência externa que colocasse termo à escalada dos problemas e os revertesse. Após certo período, durante o qual refletiam sobre a conjuntura espiritual e social em foco, o silêncio foi quebrado:

— Sabe, pastor, outras questões mais abrangentes também me preocupam. Diante do quadro difícil, neste início de ano vimos inúmeras famílias cariocas mudarem-se para São Paulo e para outras cidades. Muitas delas existem há apenas vinte ou trinta anos, pois foram fundadas depois da grande catástrofe das tempestades e do aumento do nível do mar. Algumas foram construídas em lugares não tão preparados, com infraestrutura insuficiente para receber todo o contingente que migrou das regiões afetadas ou submersas. Na prática, assistimos a um novo êxodo de pessoas e de empresas em menos de meio século, pois a vida aqui se tornou crítica em estado permanente. São mudanças climáticas bruscas e extremas, pagamento de tributos também ao governo paralelo, sem falar da reconfiguração da geografia da cidade devido ao avanço das águas. Tudo isso deixa o povo arredio, desconfiado e, por isso mesmo, diante de tamanhos sofrimento e instabilidade, à mercê de promessas salvacionistas e de homens pseudorreligiosos.

— Pois é, meu amigo Ariel, nossa cidade se encolheu de um lado e, de outro, expandiu-se. Com efeito, não deixou de existir em virtude do avanço do oceano, apesar de ter perdido para as águas bairros inteiros e paisagens antes consideradas paradisíacas; porém, alastrou-se sem nenhuma ordem ou sem nenhum planejamento urbano, tendo modificado bastante a aparência e a estrutura, que, aliás, já não era tão organizada, conforme mostram os registros históricos. Tal como se deu com a cidade, o povo também assistiu a uma mudança profunda em matéria de fé, de valores e de esperanças.

Os dois conversavam agora sob outra ótica, observando as transformações radicais ocorridas na segunda metade do século XXI. Levando-se em conta o ritmo normal das coisas e a conjuntura naquele momento, havia motivo suficiente para preocupação e pouca razão para esperar melhora.

Lentamente, a cidade de São Paulo assumiu o controle político da nação. A partir de uma decisão dramática, tomada por meio de plebiscito, a liderança paulista foi consagrada como insurgência contra o governo neopentecostal fundamentalista e contra o partido gospel, que ascendera ao poder meses antes, gabando-se de ter um país convertido ao Senhor e de ter elegido um presidente representante do chamado povo de Deus. Era uma aliança de cunho político-religiosa sem precedente na história da nação. A partir de então, conflagrou-se ainda mais o país, pois São Paulo passou a ser o símbolo da resistência contra o governo fanático, que mal havia começado e já propunha emendas importantes à Constituição, a despeito da oposição ruidosa de deputados e de senadores da minoria.

Embora muitas das mudanças como as que acometeram o Brasil tenham tido repercussão internacional do ano 2070 em diante, elas não representavam nem de longe um perigo tão grande quanto a aproximação do asteroide ou mesmo uma guerra entre as grandes potências internacionais. Isso sem falar das ameaças relacionadas ao clima, que, apesar das catástrofes ocorridas em passado recente, ocasionando a diminuição drástica da população mundial, novamente dava mostras de descontrole e provocava maus presságios.

EM MEIO A tantos acontecimentos, Michaella conversava com seus colegas de prisão. Lá, encontrara também os cientistas desaparecidos, conhecidos seus: o mexicano Dr. Juan Carlo e Mike Doing, astrofísico canadense, os quais partilhavam preocupações similares às dela.

Como o ambiente onde foram alojados pela guarda era provisório, todos se viram na mesma sala.

— Vocês por aqui? — Michaella indagou, surpresa, tão logo viu os amigos Juan Carlo e Mike Doing.

— Pois é, minha cara! Alguém nos delatou perante o comitê central, e talvez nossa ligação pessoal, bem como nossas descobertas e as consequências que acarretam, justifique o resto...

— Compreendo... — respondeu Michaella enquanto abraçava os dois amigos, como que dispensando mais explicações.

— Estamos preocupados — falou Mike após ter sido apresentado aos demais. — Não há muito tempo para sem tomarem as providências mais urgentes.

— Sei disso, amigos, mas também não sei o que fazer por ora. Temo que estejamos de pés e mãos atados.

— O Secretário-Geral precisa saber em detalhes o que se passa. Ele não participou diretamente da conferência — falou Vran Kaus para todos ouvirem.

— Ainda existe outro fator — disse Dr. Ryann, cientista-chefe da equipe patrocinada pela ONU. — Pretendia apresentar a todos outro assunto, por demais indigesto. Contudo, como sabemos, a reunião nem chegou ao termo diante dos ânimos alterados.

— Algo mais urgente do que os fatos já conhecidos por nós? — indagou Vran Kaus.

— Não sei se mais urgente do que tudo o que se passa ao redor do planeta, mas, sem dúvida, complexo o suficiente para tornar a situação política mundial ainda mais intricada. E envolve a vida de centenas de milhares de pessoas.

Todos se entreolharam, esperando a explicação de Ryann.

— Trabalhei com um grupo altamente secreto nos Alpes. É uma das equipes mais especializadas do mundo, muito inclinada ao estudo da segurança internacional. De lá, interceptamos diversas conversas codificadas na NetCosmic, as quais, por fim, deciframos, e detectamos impulsos eletromagnéticos de radicais e extremistas que povoam o antigo Irã.

— Ai, meu Deus! — disse Michaella, mesmo não sendo religiosa, como força de expressão. — Que será que vem por aí?

— Algo sério, conforme apuramos; muito sério — tornou o cientista-chefe. — Creio que o bloco norte terá de aumentar o nível de alerta e se preparar para qualquer tipo de ataque. Só não sabemos a localização exata do alvo. De qualquer modo, a ameaça é crível, e as informações estão corretas — enunciava com gravidade, enquanto todos se olhavam. — É terrível não ter como avisar as agências de inteligência das nações em perigo, as quais talvez pudessem delimitar geograficamente a ameaça com mais precisão.

O DIA NA CIDADE era como outro qualquer. Todos iam aos compromissos e deles vinham, andando pelas ruas ou transitando em veículos movidos a eletricidade ou a combustível fóssil, ainda muitíssimo importante na segunda metade do século XXI, não obstante a descoberta ou o aprimoramento de outras fontes de energia.

Um homem caminhava carregando uma bolsa pelo centro de Manhattan, indo em direção ao Empire State Building. Na verdade, ele trilhara aquele percurso diversas vezes, em muitas delas disfarçado, nos últimos cinco anos. Ele e mais dezesseis homens, que sempre modificavam o trajeto e agiam de maneira a não se levantar suspeita. Visitavam também prédios diferentes, previamente estudados. Entre eles, um empresário, infiltrado, na década de 2060, no esquema bilionário das bolsas de valores, desde 2075 ia com relativa frequência à região de

Greenwich Village, enquanto os demais escolheram pontos mais nevrálgicos, geologicamente falando, em torno da ilha principal. Eram localidades à margem do Rio Hudson ou do East River, situados em Jersey City e nos condados de Richmond e Queens. Esses e outros pontos foram o palco onde tais homens, bem como os que os substituíram ao longo daqueles cinco anos, transitavam sem que ninguém desconfiasse. Locomoviam-se em meio à multidão, misturando-se a turistas e a transeuntes.

O disfarce dificilmente seria descoberto, apesar de todo o aparato de segurança de que o país dispunha. Ao todo, visitaram, durante esse período, onze localidades distintas, porém cruciais quando se consideram a segurança nacional e a estrutura do solo, estudada minunciosamente ao longo desses anos. O lugar era um dos centros financeiros mais importantes de todo o planeta, mesmo nas últimas décadas do século XXI, a despeito da ascensão da China ao posto de principal potência econômica mundial após 2030, das catástrofes naturais recentes e da epidemia que abalou a humanidade por volta de 2050. A cidade de Nova Iorque e, sobretudo, Manhattan permaneciam como símbolo da nação que já fora a mais poderosa e, não obstante, continuava exercendo relevante liderança.

Aqueles homens não eram estrangeiros. Todos nasceram em solo norte-americano e foram educados de acordo com os padrões das famílias a que pertenciam. Apesar disso, converteram-se ou deixaram-se hipnotizar por determinada ideologia, supostamente libertadora, que se identificava com um projeto alternativo de poder.

Dentro de uma das catedrais mais importantes da região, uma conspiração era levada a efeito. Um grupo de estrategistas de guerra experientes, disfarçados de religiosos, observava um mapa holográfico nos fundos da catedral Saint John the Divine, localizada na Amsterdam Avenue com West 112th Street, no coração de Manhattan. Discutiam, pela enésima vez, onde seriam mais afetados os sistemas de vida daquela nação e quais pessoas ou famílias mereciam ser retiradas, segundo a visão deles próprios. Em cada vez que se reuniam, ao longo dos anos, mudavam o local do encontro e também os disfarces. Era esse grupo de estrategistas que estabelecia as diretrizes para a ação daqueles dezessete terroristas insuspeitos.

Mais um plano era elaborado em outro ponto da

cidade para ser levado a efeito apenas se o planejamento anterior fosse abortado por qualquer motivo. Pela décima vez nos últimos cinco anos, em pleno Central Park, sob o disfarce de mendigos, aqueles homens trabalhavam em projetos de grande sofisticação. Quem os visse ali, aquecendo-se naquele fim de inverno e início de primavera, jamais imaginaria que aqueles homens com trajes rasgados e fétidos, de dentição aparentemente malcuidada, eram, na verdade, dotados de formação acadêmica e de conhecimento técnico e científico invulgares.

Mais de vinte policiais corrompidos pelo grupo estavam distribuídos pelos principais lugares de Manhattan, tais como Wall Street, Broadway, Times Square e Brooklin Bridge. Facilitavam as coisas para a equipe de dezessete homens que agia na surdina durante os últimos anos, montando equipamentos, uma etapa a cada mês. Sem nada que alardeasse disciplina ou regularidade, pessoas diferentes visitavam os locais onde os quebra-cabeças eletrônicos eram organizados, de modo aparentemente fortuito, uma vez por semana, ou, conforme o caso, a cada dois ou quatro meses, sempre em dias e em horários alternados, contando com a cumplicidade de um policial. O projeto durou cinco anos até ser concluído, checado e testado, sempre com cuidado meticuloso para não se incorrer em nenhum ato que pudesse ser interpretado como ameaça. Até mesmo ataques terroristas foram programados em outros continentes com a função primordial de desviar a atenção das autoridades e dos agentes de segurança internacional. Tudo fora minuciosamente planejado e engenhosamente executado para permitir que o aparato fosse detonado à distância.

Aviões decolaram, dia após dia, levando os homens que arquitetavam o atentado, os quais embarcaram em cidades diferentes nos EUA, em dias e em meses distintos, visando dificultar qualquer ímpeto das agências de inteligência em associá-los. Partiram para diversos destinos na Europa também com o fim de não serem identificados como participantes do mesmo esquema terrorista.

Não obstante tudo isso, aquele era um dia como outro qualquer. Antes do grande atentado, um espetáculo deveria desviar a atenção das autoridades. Bastariam uma explosão, algumas pessoas feridas, outras em desespero. O ardil seria levado a cabo justamente onde houvesse concentração de forças da coalizão norte, mas longe da América. Foi assim que se elegeu a Faixa de Gaza, que, há dezenas de anos, permanecia como um lugar conturbado para se desencadear um atentado violento. O mundo voltou seus olhares para lá. Mais de duzentas pessoas feridas e outras cem mortas tomaram conta do noticiário internacional. Existia um misto de revolta e de indignação. Afinal, além de todos os desafios de grandes proporções que a humanidade enfrentava, ela ainda era compelida a se envolver, às portas do século XXII, com uma nação terrorista.

Após o primeiro ato na região mais conflagrada do Oriente Médio, assistiu-se a diversos episódios de mesmo teor ao redor do globo quase que simultaneamente. A China foi alvo de um ataque que causou tremenda destruição na Praça da Paz Celestial. Índia e Grã-Bretanha, respectivamente em Nova Déli e em Londres, também receberam o tributo de ódio dos extremistas, ao menos aparentemente.

Tais acontecimentos repercutiram fortemente sobre as tropas posicionadas para o enfrentamento, que, uma vez iniciado, provavelmente deflagraria a guerra total. Mas tudo era tão somente um subterfúgio a fim de se desviarem as atenções, especialmente do bloco norte. Até mesmo junto ao projeto espacial, um local até então poupado pelo terrorismo, outro aparato foi programado para ser acionado à distância e provocar uma explosão. Esse, porém, fora descoberto e abortado a tempo.

As nações atingidas, além das demais potências, uniram-se em declarações oficiais por meio da Net-Cosmic e da NetVision; em seguida, porta-vozes das autoridades atenderiam à imprensa, em polvorosa.

— Povos do mundo! — principiou o presidente do país outrora mais poderoso. — Vivemos um período histórico de graves mudanças, de grandes e dramáticos acontecimentos, que conclamam para a união de todas as nações. É urgente enfrentar os desafios à nossa paz, bem como aqueles outros que poderão aprofundar as cicatrizes que demoramos mais de três décadas para tentar sanar. Lutamos pela sobrevivência da humanidade, e não mais por um país unicamente, por uma única nação. Precisamos zelar pelo futuro e pela segurança do mundo. Assim, estamos convencidos de que é hora de agir de forma diferente, coordenando nossas forças, nossa política e nossas armas para combater o terror e os assassinos da humanidade, que partem da nação do extremismo e se infiltram em nossas sociedades.

O presidente enfatizou o combate ao terrorismo como prioridade, defendendo o uso de todo aparato tecnológico e do potencial da inteligência em conjunto com o intuito de derrotar os autores dos atentados. Prosseguiu ele:

— Nosso planeta atravessou momentos graves nos últimos trinta anos. Enfrentamos enfermidades que dizimaram populações inteiras; como consequência, avaliamos nossas estratégias em relação aos perigos naturais, como maremotos, furacões e abalos sísmicos, e, agora, estamos diante de dois grandes desafios: primeiramente, resolver as questões políticas que nos fazem inimigos para, depois, impedir, o quanto antes, que a guerra total seja desencadeada. Mas, talvez, mesmo antes de chegarmos a uma solução pacífica entre os blocos de poder do novo mundo, seja necessário combater o terror, que ameaça, de perto, todos.

A fala do presidente era transmitida diretamente pela NetCosmic, através de todos os canais subluz, incluindo os confidenciais, de acesso restrito. O mundo estava atento às ideias apresentadas pelo dirigente norte-americano. Depois dele, o porta-voz chinês tomaria a palavra, seguido dos chefes de estado da Rússia e da Alemanha.

— Reduzimos as agressões à atmosfera do planeta, embora já a tenhamos corrompido a ponto de ser quase irreversível a situação criada nas últimas décadas, ao menos com a tecnologia de que dispomos. Assistimos ao advento de uma nova epidemia, que se alastra por todos os continentes. Não obstante, a maior ameaça ainda não são as epidemias nem as armas de destruição criadas nas três últimas décadas, mas, sim, a nação terrorista, que, ao longo dos anos, formou-se a partir da união de diversas facções, as quais se apoderaram do território que hoje ocupam e se estabeleceram como entidade independente, combatendo ferozmente o progresso dos povos ao redor do globo.

Logo após, foi a vez do comandante da China. Apoiou a ideia de lutar contra o terror. Porém, não perdeu a ocasião de destacar o poderio militar e econômico de seu país.

— Nós temos condições — anunciou ele em cadeia internacional — de financiar qualquer empreendimento que favoreça o combate ao terrorismo. Nossas tropas constituem a maior e mais requintada e disciplinada força de guerra em todo o mundo; colocaremos todo o nosso arsenal a serviço da segurança do planeta e de nossa nação. Nenhuma ação terrorista será capaz de provocar a mudança de nossa política. Aqueles que permanecerem como nossos aliados receberão total apoio econômico e militar a fim de enfrentarem em seu país, ou fora dele, o inimigo comum a todos.

Os olhos de todo o mundo estavam voltados para o pronunciamento dos chefes de estado. Não havia quem não quisesse saber o desfecho da situação, ouvir ao menos o anúncio das atitudes tomadas para se evitar a progressão do mal.

Foi exatamente durante os discursos, quando todos aguardavam as medidas que seriam adotadas em conjunto, que desdobramentos surpreendentes se precipitaram. O ano de 2080 ficaria para sempre na memória da humanidade; nunca a Terra esqueceria ano tão conturbado na história planetária.

Mais um lance marcou profundamente aquele momento grave para as vidas humanas. Após inumeráveis discussões e impasses entre políticos, militares e cientistas, um grupo do bloco norte resolveu desafiar todos os protocolos e apertar o botão, dar a ordem, disparar o gatilho dos acontecimentos. Em um *bunker* das forças armadas, a história estava prestes a ser escrita. Os dissidentes convenceram-se de que não podiam esperar mais; a proximidade do asteroide seria fatal para a vida na Terra. Cabia-lhes agir mais rápido do que os outros países, pois julgavam o Conselho de Segurança das Nações Unidas lento demais para tomar a decisão necessária para se evitar o desastre global, conforme acreditavam. Escondidos a mais de 5m abaixo da superfície, ignoravam deliberadamente os acontecimentos que causticavam as nações naquele momento.

— Mas, senhor! Não temos autorização do presidente para aprovar o disparo da bomba G por meio dos mísseis teleguiados em nossas bases no espaço!

— Ora, quem disse que é o presidente quem manda? Desde quando nós, os militares, obedecemos estritamente às ordens da Casa Branca? — respondeu o general comandante daquela unidade, movido por um sentimento de orgulho patriótico intraduzível. — Já há muitas décadas que o presidente é somente uma figura representativa no grande jogo político; para nós, os militares é que somos os verdadeiros guardiões da segurança nacional e do estilo de vida americano...

— Ora, ora, senhor! Desde ao menos quatro décadas atrás não existe mais o estilo de vida americano! E o senhor sabe muito bem disso. Hoje, o mundo não nos vê mais como a potência dominante, e, querendo ou não, somos parte de um mundo novo. Nossa própria geografia se modificou muito. Nosso estilo de vida foi severamente alterado devido aos fatores climáticos, às guerras ao terror e à corrida espacial retomada pela China e por outros países. Sem contar a situação política, culminando na declaração de independência de certos estados, ainda que mantenhamos a ilusão de sermos os Estados Unidos.

— "Ora, ora" digo eu, Sr. Secretário de Defesa! — mirando os soldados, deu ordem para prender tanto o Secretário quanto aqueles que se manifestaram contra sua maneira de pensar e de agir, e foi obedecido. — Por conta de gente com pensamentos como o seu é que nossa nação cedeu o primeiro lugar aos malditos chineses. Agora, quando nos vemos prestes a perder para sempre nosso mundo, a fraqueza e a covardia não podem mais ser toleradas. Os militares têm a incumbência de zelar pela segurança nacional e não hesitarão em exercê-la integralmente, senhores.

Em seguida, apertou o botão, dando curso à ordem que seria logo acatada em uma das bases em torno da Lua e, então, em Cidônia e em Ganimedes. A partir desse momento, os acontecimentos se precipitaram.

— Fomos traídos, fomos traídos! — gritavam os chineses através do sistema de comunicação. — O bloco norte deu sinal de disparo da bomba H contra o asteroide. Nós combinamos que tomaríamos uma decisão em conjunto. Traição, traição!...

Logo depois, alertaram o líder chinês, que ainda dava declarações diante das câmeras da NetCosmic. Tudo foi interrompido imediatamente. Mais tarde, os historiadores não saberiam dizer exatamente o que houve naquele momento crucial dos acontecimentos que se abateram sobre a humanidade.

— Quem deu essa maldita ordem, general? Isso não partiu do comandante-chefe! — falava outra voz, transbordando de ira e de nervosismo sem-par, do outro lado do alto-falante. — Isso não pode ter acontecido, não pode ter acontecido! — cobrava, insistentemente e em alta voz, o responsável do Pentágono.

— Bloco norte! Bloco norte! — chamava o chefe de estado de um dos países aliados aos gritos. — Como puderam fazer isso? Parem Cidônia imediatamente ou desencadearão uma guerra entre as nações! Cidônia precisa ser desligada. É uma emergência em grau máximo!

— SENHORAS E SENHORES! — anunciava pela NetCosmic a voz de um repórter que mais parecia um robô. — Aproxima-se do planeta um asteroide de mais de 2km de extensão, de acordo com descoberta recente de nossos mais renomados cientistas — a voz trazia a público a notícia que não poderia ter vazado. — Segundo fontes não oficiais das agências espaciais dos blocos norte e asiático, foi dada a ordem para destruir o asteroide a partir de nossas bases em Cidônia e em Ganimedes. Por enquanto, até onde se sabe, estamos livres de qualquer impacto, de qualquer colisão, pois nossa tecnologia é capaz de destruir o astro antes que o choque seja inevitável. Até o momento, não obtivemos declarações oficiais dos organismos internacionais de segurança.

A notícia espalhou-se instantaneamente nas três grandes línguas que abrangiam a humanidade — mandarim, inglês e espanhol — e, em seguida, disseminou-se nos idiomas restantes e secundários, sendo retransmitida pelos canais da NetVision ao redor do globo. Não havia mais como manter a situação em sigilo.

Em certos países do Oriente, houve caos pelas ruas, e o povo acorria nas vias tresloucado, como se o fim do mundo fosse iminente. Logo, as bolsas de Pequim, Londres e Nova Iorque despencaram, generalizando o clima desastroso na economia mundial. Na América Latina, onde o regime gospel havia se instalado e o discurso salvacionista estava em alta, ocorreram menos tumultos, pois o povo, em sua maioria, esperava uma intervenção divina. Viam no fato insólito a mão de Deus para destruir os inimigos do novo regime. Além disso, ocupavam-se de problemas mais urgentes, como a perseguição religiosa ferrenha que fora desencadeada pelo novo regime, o qual passara a ser chamado de "anticristo" pelos partidos de oposição, que haviam se unido num único bloco a fim de enfrentar a nova situação que se alastrava pelo continente, começando pelo Brasil.

A COMITIVA PAPAL estava em viagem pelo mundo e foi apanhada de surpresa, detendo-se imensamente preocupada. O Vaticano logo fez contato, apresentando as inquietações do colégio cardinalício e das demais autoridades:

— Acreditamos que é hora de Sua Santidade e dos onze regressarem a Roma. Uma multidão se reúne na Praça São Pedro, neste momento, mesmo sabendo da viagem do Santíssimo Padre. Ele precisa fazer um pronunciamento o mais brevemente possível.

Depois de acaloradas discussões entre os doze, Pedro II decidiu se comunicar à cristandade:

— O Santo Padre — anunciou um dos onze cardeais da comitiva — não retornará a Roma agora. Ele decidiu, junto com os onze, não interromper o ano santo de peregrinações, senão teria de adiar indefinidamente as visitas já marcadas em diversos países. Ele falará a todos os cristãos pela NetCosmic e anunciará uma decisão para a qual já vinha trabalhando desde que subiu ao trono de São Pedro.

— E qual é essa decisão? Precisamos saber antes, a fim de lidarmos com a multidão e evitarmos surpresas — argumentou um dos interlocutores ao cardeal que atuava como porta-voz do papa.

— Somente saberão aí, no Vaticano, ao mesmo tempo em que os demais, através da NetCosmic. Sua Santidade e os onze julgaram apropriado fazer uma comunicação global antes que os cidadãos ao redor do mundo cedam ao desespero. Os novos tempos exigem mudanças mais radicais na postura do Santo Padre e da Igreja em particular.

No Vaticano, o cardeal responsável pelo contato

com a comitiva assustou-se. Pedro II realizava várias reformas não previstas no seio da Igreja e aumentava o descontentamento geral nos corredores da Santa Sé. Entretanto, ao menos por ora não podiam fazer nada oficialmente, até porque os onze cardeais mais influentes foram investidos de um poder muito acima do esperado. Elegendo-os como assessores diretos do papado e declarando-os como pertencentes ao colégio apostólico, em alusão aos apóstolos, Pedro II lhes desferira um golpe no ego, inflamando-os completamente. Passaram a ser vistos como autoridades que ascenderam ao poder globalmente, pois não mais ficavam restritos aos domínios da Santa Sé como antes. Ganharam projeção inesperada junto ao novo pontífice.

Diante dessa política adotada por Pedro II, o Vaticano não poderia fazer muito. Além do mais, o novo papa tinha argumentos que, dificilmente, poderiam ser combatidos e sabia ser persuasivo.

A expectativa de todos quanto a seu pronunciamento era grande, até da nova máfia italiana, que fora pega de surpresa quando o novo pontífice vedou-lhe a ingerência sobre o Banco do Vaticano, o qual caíra sob o domínio do crime há algumas décadas.

Estudante fervoroso de ciências psíquicas, o papa manejava bem os recursos de manipulação mental e emocional. Ele tivera êxito naquilo que nenhum antes dele conseguira: reunir os mais importantes cardeais e dar-lhes um poder compartilhado, como nenhum de seus predecessores jamais teve. Com essa providência, ganhou completamente o apoio de todos eles, agora instituídos como os doze novos apóstolos da Igreja contemporânea. Ninguém saberia dizer ao certo se Pedro II era um político dos mais sagazes ou um missionário dos mais astutos e inteligentes. Deduzia-se apenas que ele pretendia algo que escapava completamente do esperado do Sumo Pontífice.

Na Índia e na China, o povo saiu às ruas exigindo uma posição imediata do governo. Uma multidão começou a depredar o patrimônio público, enquanto os governos desses países culpavam o bloco norte, mais precisamente os antigos Estados Unidos, nação agora dividida em alguns estados independentes em virtude de ocorrências domésticas. No Golfo Pérsico e, sobretudo, no Mediterrâneo, junto a Gaza, bem como em Jerusalém e nas regiões circunvizinhas, a situação deteriorou-se com rapidez. Parecia que um rastro de pólvora se acendera, atiçando uns contra os outros. A ONU imediatamente entrou em ação, convocando uma assembleia extraordinária para enfrentar a grave crise que logo se instalou, tentando evitar a guerra a todo custo. Em um momento tão grave, um confronto em grande escala selaria um destino desastroso para a humanidade.

Em países ao redor do globo havia forte descontentamento, enquanto o clima de beligerância e de guerra atingia seu ápice entre os atores do poder no plano internacional. Ao que tudo indicava, o Armagedom era iminente, a grande guerra estava prestes a eclodir, talvez a última da humanidade, considerando-se o potencial bélico das nações. Em meio a tamanha tensão, a frente terrorista, que se transformara em uma das nações do Oriente, preparava-se para o golpe fatal.

ENTREMENTES, o grupo de cientistas conversava:

— Michaella, não sei se você sabe das novas descobertas que fizemos enquanto você estava foragida — falou Mike Doing, o cientista canadense.

— Confesso que não tive muito tempo de me dedicar a outros campos de pesquisa, amigo. Agora, então, que nos encontramos confinados aqui, não temos condições de nos atermos ao cerne de nosso interesse científico. Há muita coisa em jogo... Mas, por favor, atualize-me em relação a essas descobertas!

— Fizemos observações a partir da sonda espacial em órbita de Plutão e detectamos algo que não deixa de ser preocupante para todos.

— Ai, meu Deus! — falou Willany, que também estava detido, aguardando resoluções do comando que os prendera ali. — Mais preocupações? Não sei se estamos preparados para tanto! Parece-me que, nesses últimos anos, a humanidade está sendo golpeada por todos os lados...

— Não sabemos se o que descobrimos é realmente ruim ou se pode ser uma ajuda inesperada. De qualquer maneira, é algo que merece atenção especial de nossa parte, embora, na situação atual, não tenhamos condições de fazer muito, a menos que haja pessoas dispostas a agir em nosso nome.

— Isso talvez não esteja tão longe da realidade, Mike! Talvez seja possível providenciar — disse Michaella.

— Você sabe de alguma coisa que poderá nos ajudar? Tem alguma carta na manga?

— Quem sabe, amigos?! Quem sabe? — foi somente o que Michaella deixara escapar. Ninguém ali sabia das conexões da cientista com qualquer elemento exterior. — Mas conte a respeito da descoberta, por favor. Acredito que nada mais nos abaterá depois das ocorrências de ontem, levando-se em conta que, até agora, não soubemos de nada, de nenhuma medida tomada pelos cientistas e pelos militares que encontramos ontem. Estamos completamente isolados, pelo menos até o momento.

— É verdade! Temos de dar um jeito de saber o que está ocorrendo lá fora — comentou Willany.

— Bem, a partir das observações sobre o bólide inesperado, começamos a vasculhar o Sistema Solar, notadamente o cinturão de asteroides além da órbita de Plutão, aproveitando-nos dos avanços tecnológicos de que dispomos. As sondas e os observatórios instalados nas luas de Júpiter, Saturno e Urano foram essenciais às investigações, bem como, é claro, os aparatos enviados, há quinze anos, para além dos limites de nosso sistema.

— Fale logo! Pelo seu tom de voz, há coisa mais importante que o asteroide. Talvez até mais perigosa...

— Eu não quero mais saber de perigos imediatos! — tentou brincar o cientista Willany, ligeiramente abatido diante da impotência de fazer algo. Todos demonstravam curiosidade diante da fala de Mike.

— Detectamos uma formação de elementos artificiais vindo em direção à nossa posição cósmica.

— Elementos artificiais? Explique direito, Mike Doing — disse Michaella, endireitando-se no chão, onde estivera sentada, definitivamente, alertando-se para a revelação do cientista canadense.

Desta vez foi Dr. Juan Carlo, mexicano responsável pela interpretação dos eventos nas pirâmides do México e no Mar da China, quem falou:

— Uma estranha escrita antiga, descoberta por volta de 2025 e somente decifrada agora há pouco, no ano 2076, foi a chave para se abrir novo campo de pesquisas lá fora — apontou para cima, como a indicar o espaço. — A constatação final é a de que o grupo de elementos artificiais é, na verdade, uma frota de naves espaciais vindo rumo ao nosso planeta ou, pelo menos, em direção ao Sistema Solar.

— Só faltava essa! — exclamou Michaella, levantando-se de repente. — Só faltava essa... E justamente agora, quando as coisas na Terra estão pegando fogo, a derradeira prova da vida fora do nosso velho mundinho vem até nós.

— Isso mesmo, Michaella — respondeu Mike Doing. — Chegamos a tal conclusão depois de verificarmos, de forma atenta e minuciosa, o comportamento daqueles elementos estranhos. Vários deles, que acreditamos serem algum tipo de sonda ou nave menor, destacaram-se dos demais, descrevendo um percurso impossível para objetos naturais. Realizaram, por exemplo, diversos movimentos entre Júpiter e Netuno, como se estivessem observando as franjas de nosso Sistema Solar. Após isso, retornaram à frota principal, que conta com pelo menos quinze elementos, conforme detectamos. Posteriormente, novas naves — temos convicção — deixaram a frota e deslocaram-se em velocidade acima das possibilidades de um bólide ou das de uma nave terrestre, cuja tecnologia ainda é muito acanhada. Partiram em direção ao cinturão de asteroides entre Marte e Júpiter.

— E como outros cientistas não descobriram isso também?

— Caso tenham descoberto, não anunciaram, provavelmente com medo de lhes acontecer o que sucedeu conosco em relação ao asteroide...

— É possível.

— O que intriga mesmo — continuou Dr. Juan Carlo — é o fato de que, da formação vista rumando para o cinturão de asteroides, apenas duas naves regressaram, ao menos até o momento em que estive pessoalmente fazendo as devidas medições e as confrontando com cálculos de nossos computadores subluz. As demais simplesmente desapareceram, de acordo com o que pudemos apurar.

— Mas como detectaram esses elementos que julgam ser espaçonaves? E como chegaram a essa conclusão?

— Emitem sinais de rádio entre si — respondeu Mike prontamente, deixando todos ainda mais sob alerta. — Deduzimos serem naves após termos recorrido ao observatório europeu e analisado os sinais fracos captados entre o cinturão de asteroides e a composição de quinze elementos. Muito embora sejam fracos, tais sinais permitem a identificação de um claro padrão de ondas que indicam informações codificadas, inteligentes, não repetitivas. Mais: os impulsos partem dos dois lados, ou seja, tanto do cinturão de asteroides como também da formação de naves às margens do Sistema Solar, não obstante estejamos longe de decifrar o conteúdo dessa comunicação.

— Isso é preocupante — sentenciou Michaella.

Dr. Ryann, que atuara num complexo secreto nos Alpes, até então em silêncio, resolveu interferir:

— Senhores, eu conheço pessoalmente esse evento.

— Conhece? Então vocês também detectaram a mesma frota?

Ryann deteve-se antes de responder, porém, depois de ponderar que já se expusera e nada mais havia a perder na prisão, resolveu explicar sem reservas:

— Na verdade, o complexo de laboratórios onde trabalhei foi construído, ao longo dos últimos quinze anos, graças a uma aliança entre as nações mais ricas do mundo. De lá, é possível acessar tanto os observatórios localizados em Plutão como a sonda espacial enviada para fora do Sistema Solar, tudo em virtude de uma tecnologia desenvolvida pelos chineses. Já há alguns meses, vínhamos acompanhando tal formação de objetos extraterrestres não identificados. Chegamos às mesmas conclusões de vocês, Dr. Mike e Dr. Willany. São realmente objetos artificiais. Porém, quando notificamos as autoridades competentes, ordenaram sigilo absoluto a respeito.

Todos silenciaram por um bom tempo. Como ali se reuniam detentores de conhecimento científico, cada qual compreendeu a gravidade da informação transmitida por Dr. Ryann e mediu as prováveis consequências. Michaella, um tanto ansiosa, caminhava de um lado para outro. Parecia haver uma tensão palpável no ar. Em dado momento, resolveu quebrar o silêncio, enquanto Dr. Ryann observava as reações dos companheiros de cela.

— Imaginem, meus caros... Justo agora, quando a humanidade está a um passo de uma guerra total, quando as grandes potências estão prestes a desencadear um confronto de graves proporções, somos visitados por outras inteligências do espaço!

Todos ali compreenderam o significado das palavras de Michaella, embora ainda não soubessem dos desdobramentos mais recentes, que poderiam determinar o futuro de toda a humanidade.

— Na verdade, Michaella — ponderou Dr. Mike —, já sobrevivemos a muita coisa durante essas últimas cinco ou seis décadas. A explosão da bolha chinesa, no início dos anos 2020, causou uma avalanche descomunal de problemas na economia mundial, como as nações jamais viveram. Foi um verdadeiro milagre que a tenhamos superado. Meu pai me contou sobre o caos financeiro da época. A posição privilegiada que a China ocupava naquele momento acabou por afetar todas as economias do planeta. A quebra da bolsa de Nova Iorque, em 1929, com a crise que a sucedeu ao longo da década de 1930, passou a ser considerada modesta diante do caos generalizado que se seguiu ao evento de quase um século depois. Mais tarde, vieram os dilemas relacionados ao clima extremo, descontrolado, com as inversões climáticas, que afetaram populações inteiras, em diversas latitudes. Isso sem falar da grande epidemia...

"Mesmo assim, com tudo isso, nossos políticos não mudaram o jeito de fazer sua política; mesmo assim, o homem permanece ignorando as leis do universo, as quais agem em resposta direta ao comportamento humano. Agora, depois de constatarmos que existe vida lá fora — falou em tom grave, apontando para o alto, sabendo que era compreendido por todos ali —, representantes ilustres de outra raça vêm até nós."

— Justamente quando nos encontramos de pés e mãos atados e não podemos fazer absolutamente nada! — completou Juan Carlo.

— Será que conseguiríamos fazer alguma coisa caso estivéssemos livres?

— Meu ponto de vista é diferente, senhores — falou Michaella em tom decidido, aparentemente animada, de súbito. — Acredito que foi exatamente nossa prisão que nos deu a chance de nos conhecermos melhor e, quem sabe, de podermos traçar uma estratégia em conjunto. Talvez não houvesse outro meio! Assim, podemos esboçar um plano para alertar a população e levar essas informações a público.

— E levaremos isso a cabo aprisionados aqui, preciosa dama? — falou, com certa ironia, Dr. Vran Kaus.

— Não sei se os senhores perceberam, mas parece que algo ocorre lá fora, algo de que nem sequer desconfiamos.

— Mas é claro, Michaella, que algo muito importante está em andamento. Políticos, militares e demais autoridades devem estar em plena discussão sobre o que farão frente ao asteroide. Não duvido de que estejam pensando em como obter vantagens — dinheiro, *status*, prestígio ou outra coisa qualquer — enquanto o tempo passa e tudo se complica ainda mais.

— Quem sabe nos esquecerão aqui, como suponho... — falou Willany, externando preocupação.

— Mas, para que eles nos esquecessem aqui, seria necessário que algo verdadeiramente extraordinário se passasse lá fora.

— Já estamos aqui há bastante tempo. Realmente, algo grave está em curso, e temos de dar um jeito de sair com urgência. Até porque, daqui a pouco, estaremos desfalecidos, pois nos trouxeram água e comida uma única vez, caso não tenham percebido.

— Também não vejo mais o guarda que se podia ver através da fresta da porta e da janelinha acima — falou Mike, tentando escutar se havia alguém fora daquele ambiente.

Já era tarde, e a conversa não rendeu muito mais do que isso, devido às preocupações de todos quanto ao que transcorria fora da prisão. Alguns adormeceram num canto, apesar da fome e da sede que sentiam. Michaella escorregou num lado do cômodo onde estavam e deixou-se relaxar, pouco a pouco, até quase adormecer. Ninguém a quis incomodar, pois julgaram que dormia.

AINDA NO BRASIL, Orione angustiava-se com a falta prolongada de Michaella e resolveu procurar a ajuda dos chamados novos homens, de quem já ouvira falar, uma vez que todos os recursos haviam se esgotado. Encaminhou um pedido codificado pela NetCosmic. Uma mensagem enviada em tecnologia subluz certamente seria interceptada pelas pessoas certas. Algo lhe dizia que, por algum meio, os novos homens saberiam de seu trabalho, de Michaella e dos demais cientistas. Ele precisava acreditar nisso.

— Ora, Orione, você sabe bem que Michaella tem um gênio difícil de ser domado. Com certeza, ela saiu da tal conferência e foi em busca de novos desafios em sua área científica. Não duvido disso — falou Damien, tentando tranquilizar o padre.

— Não creio nessa hipótese — respondeu Orione. — Ela não ficaria tanto tempo assim sem dar notícias. Algo de muito errado está acontecendo. Além disso, para confirmar minhas suposições e apreensões, todas as pessoas que procurei, em nome do Vaticano e me valendo de nossas credenciais, acabaram por desconversar. Deixaram claro não haver ninguém com o nome de Michaella na conferência. Isso me cheira muito mal. Sei que ela participou das reuniões. Algo ruim aconteceu, tenho certeza.

Tão logo Orione pronunciou essas palavras, foi chamado por meio da NetVision, que, além de oferecer programações diversas, também era usada para chamadas pessoais. Na verdade, ela consistia numa tecnologia de videocomunicação através de implante ótico, cujos impulsos eram decodificados pelo cérebro dos espectadores ou dos interlocutores, que, nesse caso, viam-se e ouviam-se mutuamente. Era algo incompreensível para homens do início do século. Orione ficou atento à chamada, que se repetia algumas vezes.

— Atenda, padre, pelo amor de Deus! — falou Damien, nervoso, pois Orione parecia relutar em receber o impulso subluz.

O padre acionou um pequeno ponto atrás do lóbulo direito, tocando-o levemente, e, então, viu uma imagem se erguer diante de seus olhos, como se fosse uma projeção holográfica, em três dimensões. Mas não era. Tratava-se apenas da interpretação de seu cérebro, que decodificava a chamada da NetVision. Uma mulher apareceu diante de seus olhos.

— Você nos chamou, padre? Parece que está precisando de ajuda.

— Eu a conheço? — perguntou Orione, pois tinha a impressão de já ter visto aquela mulher.

— Talvez, talvez. Mas isso não importa agora. Se precisa de ajuda, é bom saber que há algum tempo temos mapeado seu trabalho e sua zona de interesse.

— Por isso responderam tão depressa?

— Nem tão depressa assim, Pe. Orione.

— Como sabe meu nome?

— Ora, já não disse que estávamos mapeando suas

ações nos últimos meses? Não perca tempo e diga do que trata seu chamado.

— Primeiramente, quero saber seu nome e se porventura pertence…

— Sim, pertenço ao grupo dos novos homens, que lhe parece esquisito, formado por pessoas dotadas de certas habilidades psíquicas. Meu nome é Hadassa.

Orione sabia que já conhecia aquela mulher ou que pelo menos a tinha visto em algum lugar e em algum momento. Mas sua memória perdia a briga com a apreensão acerca de Michaella. Estava muito nervoso.

— Uma amiga minha desapareceu, e, se de fato monitoraram minhas atividades recentes, devem saber exatamente a quem me refiro. Ela foi participar de uma conferência de extrema importância e ultrassecreta entre cientistas, militares e políticos no bloco norte.

— Hummm! — resmungou a mulher, que tinha a imagem projetada no campo visual de Orione. — Estranha combinação de pessoas: políticos, militares e cientistas. Então deve ser algo muito grave em que essa sua amiga se meteu.

— Se vocês têm condições de ajudar a localizá-la, por favor, eu lhes peço…

— Vamos tentar, padre, vamos fazer de tudo para encontrarmos sua amiga.

Desapareceu ali mesmo a imagem, interrompendo a comunicação. Orione sabia que os novos homens não gostavam de se expor muito e compreendia o porquê de sua interlocutora encerrar tão repentinamente a chamada. Ela fazia jus à fama dos novos homens. Esperava que obtivessem alguma notícia.

— Então? Conseguiu algo consistente? Com quem falava? — perguntou Damien, pois, quando alguém se comunicava por meio da NetVision, ninguém ao redor tinha acesso às imagens e aos sons percebidos. Os impulsos, afinal, eram transmitidos diretamente ao sistema nervoso do interlocutor.

— Sim, era uma mulher estranha; estranha o suficiente para eu acreditar que ela participa do grupo denominado "novos homens".

— Teve notícias do paradeiro de Michaella, afinal?

— Ela não me deu tempo para falar muito. Desconectou logo.

— Gente estranha essa — comentou Damien, enquanto Orione se dirigia ao aparelho por meio do qual faria mais contatos pela NetCosmic.

MICHAELLA PERMANECIA deitada sobre o chão da sala onde ela e os colegas estavam cativos. A mente da cientista vagava pelo entorno, de tal modo que sentiu desligar-se do corpo lentamente. O alvo mental lhe absorvia a ponto de ela nem perceber o desprendimento consciencial ao abandonar os limites do corpo físico e alçar voo para uma dimensão desconhecida dos demais, ao menos em vigília. Deduziram que Michaella adormecera. O corpo formigou, estremeceu levemente quando sua consciência se libertou do aparato fisiológico. Fizera isso inúmeras vezes durante a vida. Foi assim, nesse estado diferente, que conhecera outros como ela. Eram muitos, espalhados em diversos países mundo afora. Gradualmente, eles se aproximaram, até darem origem a um grupo de homens e mulheres com propósitos claros. Queriam contribuir com a humanidade. Nessa jornada, encontraram outros seres, que se identificaram como guardiões, responsáveis por administrar a evolução do mundo a partir da dimensão extrafísica. A maioria dos homens da Terra não acreditaria nas experiências que viveram depois desse encontro.

— Michaella, você precisa se libertar imediatamente desta prisão — falava a voz advinda de alguém que ela não percebia, mesmo estando em desdobramento.

— Então, devo contatar Hadassa já, guardião. Ela terá condições de nos auxiliar; ela ou algum dos novos homens.

— A colaboração que você e seus amigos podem dar é essencial, pois temos nos preparado para receber um grande número de pessoas, que deixarão os corpos de maneira abrupta. Vocês terão um papel a desempenhar neste momento singular que a humanidade atravessa. Já têm conhecimento do processo de transmigração que está em curso. Portanto, devem ajudar a preparar o mundo para os eventos difíceis que virão.

— Convém sabermos algo neste momento?

— O homem da Terra ultrapassou todos os limites, abusando das oportunidades que lhe foram concedidas ao longo dos milênios. Esgotou-se, para os terrestres, o processo educativo que fora programado. Foi dada a ordem, e não podemos mais interferir. O mundo entrará numa nova etapa de aprendizado.

— E isso será doloroso, certo, guardião? Como poderemos auxiliar?

— Será um aprendizado difícil, mas necessário. Como ocorreu no passado, com os povos das Américas, os chamados silvícolas, quando o homem branco aportou em seus domínios, agora veremos em âmbito planetário.

— Com toda a Terra? Mas o que acontecerá?

— O mundo será abalado, Michaella, uma vez mais. Muitos homens deixarão para sempre este orbe, talvez para não mais retornarem, por milênios. Grande parcela da humanidade já se despede da morada planetária. Em paralelo, o mundo receberá a visita de alguns filhos do espaço, das estrelas.

— Sim, meus colegas já detectaram algo a respeito!

— Mas ignoram a natureza dos visitantes. De fato, eles se aproximam. Contudo, nada será como esperado. Reúnam os novos homens e arregimentem pessoas do mundo todo que estão preparadas para este momento. Convém se refugiarem nas bases construídas por vocês. De lá, poderão ajudar quando os visitantes chegarem. E eles se demorarão um pouco mais do que em uma visita comum.

— Pode ser mais explícito, guardião?

— Assim como um país recebe imigrantes, que, então, juntam-se aos cidadãos comuns e se imiscuem na sociedade, influenciando a cultura, assim ocorrerá com a Terra. Os homens não ouviram os apelos da misericórdia que lhes foram enviados ao longo dos séculos. Esgotaram-se, assim, todos os recursos de aprendizado que este planeta teria a oferecer a seus habitantes. Agora, acontecerá uma miscigenação de humanidades. Talvez, assim, os homens aprendam o dever de casa.

— Mas esse não é um recurso drástico demais?

— Com certeza, mas não compete a mim decidir sobre o processo educativo dos povos da Terra. Sou tão somente um representante da justiça, da lei. A mim compete fazer com que as decisões se cumpram e da melhor forma possível, com o mínimo de desgaste. Uma coisa é clara, porém: foi o próprio habitante terrestre quem elegeu esse tipo de fator educativo ao desconsiderar as lições que lhe foram enviadas durante os milênios, mais precisamente nos últimos séculos. Vá logo, Michaella, e faça contato com os novos homens. Você e seus colegas devem sair urgentemente da prisão.

Em seguida, a voz silenciou. Michaella saiu espaço afora, procurando alguém que a percebesse fora do corpo. Somente uma pessoa com habilidades extrassensoriais poderia auxiliá-la. Ela procurava um dos novos homens e, notadamente, a amiga Hadassa.

Depois de muitos contatos, cinco amigos próximos de Hadassa localizaram as coordenadas dadas por Michaella à amiga quando estivera em estado alterado de consciência. Hadassa conseguira deslocar-se entre dimensões e ver o lugar onde a cientista estava detida. E constatara algo incomum. O lugar fora praticamente abandonado. Os últimos acontecimentos fizeram com que os dirigentes militares deslocassem todo o contingente rumo ao cerne dos eventos dramáticos daqueles dias. Todo o efetivo possível dava suporte em Washington, DC, de maneira a reforçar a segurança

do local mais visado do bloco norte, pois, segundo fontes confiáveis da inteligência, ali seria o fulcro de um ataque terrorista.

Ao longo dos anos, aliás, desde que o novo comunismo se erguera aos olhos do povo como solução mais viável para as crises dos diversos blocos de poder, um estado de espírito peculiar dominava o alto comando da nação. Após os atentados ocorridos desde o início do século XXI, progressivamente, diversos fatores contribuíram para o florescimento de uma espécie de paranoia, que já existia, quanto ao terrorismo. Destacam-se o crescimento da China no mercado internacional e a decadência cada vez mais acentuada do americanismo como filosofia política, tanto quanto o redesenho da geografia de poder.

Tendência similar à observada em muitas nações europeias a partir de 2020 — o senso de individualização e a rejeição à miscigenação com outras culturas, com outros povos — acabou por fomentar nos EUA um medo generalizado contra tudo que se opusesse ao estilo de vida norte-americano. Tal sensação foi intensamente estimulada pela indústria do entretenimento e da comunicação e até pelos serviços de inteligência. O povo contaminou-se tanto que vizinhos, companheiros de trabalho e mesmo amigos eram, com frequência, vistos como terroristas, denunciados às autoridades, que viam em tudo e em todos o alvo certo de suas teorias e elucubrações.

Todo esse estado de alarme constante acabou por prejudicar a identificação dos verdadeiros terroristas. No ano de 2080, início de uma longa década, a paranoia norte-americana era latente. Trazia em seu bojo a desconfiança exagerada ante qualquer um.

OS CINCO NOVOS HOMENS não encontraram sequer a baixa resistência que já esperavam. Diante do anúncio de que a capital, Washington, poderia sofrer um ataque, os militares esvaziaram o lugar em caráter temporário. Os amigos de Hadassa e de Michaella subiram a encosta onde se localizava o edifício principal, no qual os cientistas estavam aprisionados. Cuidadosamente, passaram pela entrada e se dirigiram a uma abertura no chão, situada do lado direito do prédio. Ninguém suspeitaria que ali era o acesso a uma espécie de *bunker* subterrâneo, mas as habilidades paranormais dos novos homens vieram a calhar nessa hora. A própria Hadassa, um dos elementos mais importantes do exército da paz, espalhado pelo mundo, era capaz de usar as forças do espírito como ferramentas para auxiliar a humanidade.

A princípio, alguns governos pretendiam pesquisar e se utilizar de habilidades extrassensoriais como armas de guerra para vencer a tecnologia, cada vez mais avançada. Nos Estados Unidos, a partir da década de 2020, a Universidade de Stanford desenvolveu os primeiros projetos nesse sentido. Depois de mais de quarenta anos de estudos e de investimentos milionários, conseguiram identificar homens ao redor planeta que realmente detinham habilidades extrassensoriais. Quiseram treiná-los em laboratórios, aliciá-los e manipulá-los a fim de usá-los como soldados paranormais.

Cruzaram a fronteira do conhecido mundo normal rumo a outra dimensão: a realidade. Ao contrário do que muita gente julgava, ao se atribuírem tais assuntos ao domínio da ficção científica, foram detectadas pessoas em todo o mundo que dispunham, de fato, de uma capacidade a ser direcionada, ampliada, desenvolvida. No início, os investimentos deram resultado. As agências de inteligência descobriram que teriam de lidar com outro fator: um grupo crescente de indivíduos que nasciam com um sexto sentido, uma habilidade incomum para os padrões da humanidade.

Em dado momento, ocorreu a primeira revolta dos paranormais, que se identificaram gradativamente com as ideias de outro grupo, ativo, apesar de ser oculto aos olhos das autoridades. O grupo se intitulava novos homens, cuja missão era propagar conceitos como servir ao mundo sem se ligar a nenhum partido, a nenhuma política ou religião humana. Era o que faltava para os novos homens se libertarem dos militares e dos governos que pretendiam dominá-los. Uniram-se aos guardiões e se colocaram a serviço dos mais elevados valores humanos. Não se corrompiam, não defendiam partidos nem bandeiras. O objetivo que lhes guiava era despertar a consciência do ser humano, principalmente depois dos eventos drásticos de meados do século XXI em diante. A libertação do jugo dos aparatos militares não ocorreu sem conflitos nem lutas, que deixaram baixas nos dois lados. Após o confronto, que se deu à margem do olhar do público, os paranormais se juntaram para auxiliar a humanidade sem se deixarem manipular por cientistas, militares ou governos. Dispersaram-se na população e passaram a trabalhar discretamente, preservando sua identidade.

Ellieth, uma amiga de Hadassa e de Michaella, passou à frente de todos. O local havia sido abandonado por soldados e pela gente do exército, mas não por todos que trabalhavam ali, os chamados civis. Ellieth caminhava usando as forças de seu espírito, o que permitia que todos passassem invisíveis. Ou melhor, ela agia nas mentes das pessoas do entorno de modo que ninguém conseguia vê-los. Logo atrás, vinha Verônica. Ela detinha uma habilidade peculiar, revelada desde a tenra idade: era capaz de interromper o funcionamento de circuitos eletrônicos, entre eles equipamentos de gravação de imagem e de som, que não operavam ante sua simples presença. Depois dela seguiram Yuri — um moscovita que tinha a capacidade, ao concentrar o pensamento, de derreter metais, embora ainda não dominasse plenamente sua aptidão — e Hadassa, que comandava a delegação, além de Hel-Eliot, um judeu hábil manipulador mental ou hipno, que podia imiscuir-se na mente das pessoas e ali implantar imagens e pensamentos. As sugestões psíquicas duravam aproximadamente 24 horas, o que era útil em casos como aquele.

Hadassa soubera escolher muito bem a equipe que libertaria Michaella e os demais cientistas. Foi assim que os intrusos passaram despercebidos ante as poucas pessoas com quem depararam. Enquanto a líder coletava informações nos cérebros das pessoas, perseguia as coordenadas mentais de Michaella, com a qual se encontrara fora do corpo. Houve apenas uma leve resistência: uma mulher que parecia imune às habilidades de Ellieth. Ao ver os cinco componentes do exército da paz, perguntou, dirigindo-se a eles:

— Que estão fazendo aqui? A entrada é proibida para pessoal não autorizado.

Entretanto, o pequeno grupo já estava informado sobre como se comportar em situações do gênero. Eles passaram sem dar atenção à mulher, que, provavelmente, era também uma paranormal, sem, contudo, saber de sua própria habilidade. Hadassa fixou sobre ela um olhar intenso. Em instantes, a mulher foi ao chão, desmaiando. O resto foi fácil. Penetraram mais fundo o edifício e encontraram o fosso que os levaria ao local onde estavam os prisioneiros. Caminhavam todos em completo silêncio, como faziam quando se encontravam em ação. O barulho discreto dos passos foi percebido por Michaella, que estava atenta naquela hora, sentada em um canto da cela, enquanto os demais cochilavam devido à fome. Ela se levantou de chofre e anunciou:

— A ajuda está a caminho.

— O quê? — ressoou uma voz entre os colegas.

— Levantem-se! Vamos ser libertados.

CAPÍTULO 4
OPERAÇÃO ARCA DE NOÉ

Pe. Orione estava preocupado com o sumiço da mulher pela qual se apaixonara. A pressão decorrente da falta de notícias o deixara abalado e, naquele estado, poderia pôr tudo a perder, extravasando a quem não deveria os sentimentos com relação a Michaella. Ele não desconfiava que Damien já os flagrara e que, possivelmente, Matheus também soubesse.

— Vou a Nova Iorque — comunicou aos colegas. — Não consigo ficar aqui parado, de mãos atadas.

— Nova Iorque? Mas o que o faz sair do Brasil dessa forma abrupta e se dirigir justo para o epicentro da confusão global? Aconteceu algo novo, que porventura desconheçamos? — perguntou Damiem.

— Não é isso, meus caros. Nossa parceira de pesquisas, Michaella, está há muito tempo desaparecida. Ela foi à conferência secreta e, desde então, não enviou notícias. Tanto eu quanto dois outros cientistas temos procurado entrar em contato com ela, porém, sem sucesso. Nem pela NetVision conseguimos qualquer informação. Tentamos rastrear seu sinal, e nada! Estou convencido de que algo desandou.

— Mas não era o caso de acionar nosso contato no bloco norte, a fim de que nos auxiliem a encontrá-la?

Não seria muito mais fácil? — indagou Matheus.

— Vou aproveitar e colher informações sobre as ocorrências na Califórnia.

— Califórnia? Não me lembro de termos qualquer interesse na região — replicou Damien, tentando se contrapor.

Orione respirou fundo, pois notava que o padre o observava; talvez desconfiasse de algo. "Poderia Damien saber o que se passa?", indagava-se Orione. Tentou demonstrar paciência.

— Sabemos muito bem do interesse do Vaticano sobre as repercussões do movimento das placas tectônicas, principalmente no tocante à placa Juan de Fuca e à falha de San Andreas.

— Ah, sim! — falou Pe. Matheus, recordando os acontecimentos. — Ontem mesmo ouvi alguns comentários a respeito do assunto na NetCosmic. Parece que a situação por lá está, de fato, cada vez mais delicada.

— Pois bem — Orione sentiu alívio mediante a fala de Matheus. — Tenho um excelente contato em São Francisco e, logo após obter alguma notícia sobre o paradeiro de Michaella em Nova Iorque, irei à costa leste com o intuito de coletar informações sobre a situação. Creio que já está em andamento um plano de evacuação feito pela Fema, a Agência Federal de Gestão de Emergências.

— Parece que esse antigo órgão de estado ainda permanece bem atuante em nossos dias.

— Tenho ótimos contatos dentro da agência, cuja sede é em Washington, DC. Eles prestaram um serviço importante durante os primeiros casos de desastres ambientais, logo no início dos anos de 2020. Parece que têm se preparado para a possibilidade de um desastre maior. Como isso está no escopo de nossas investigações, julgo oportuna minha ida ao bloco norte a fim de trazer mais dados.

— Tenho me preocupado também. Ontem mesmo, o Cardeal Duncan enviou-me um alerta quanto ao assunto do asteroide. Parece que o Vaticano infiltrou seus informantes na tal conferência entre cientistas, militares e autoridades civis.

— E você não nos disse nada a respeito, Pe. Damien?! Essa notícia pode lançar luz sobre o paradeiro de Michaella...

— Ah, Orione... Ainda nem me inteirei completamente do comunicado dele — esquivou-se, sem confessar o motivo real de ter sonegado informações. — Mas lhe passarei as informações que tenho de imediato; apenas não pensei que eram relevantes às nossas pesquisas.

— Fale logo! — interferiu Pe. Matheus, ansioso.

— Parece que as relações internacionais atingiram um grau máximo de tensão. Isso que se vê aqui, no Brasil, nem é tão significante assim diante das últimas ocorrências mundiais. Um comandante militar dos Estados Unidos resolveu assumir a dianteira no processo relativo ao asteroide e, segundo consta, deu ordem às bases de Cidônia e Ganimedes para efetuarem o disparo de mísseis intersolares em direção ao

visitante do espaço. As nações estão em polvorosa, principalmente o bloco oriental, que está prestes a considerar tal decisão como um ato de guerra; enfim, instaurou-se uma crise diplomática aguda.

— Mas os mísseis já foram efetivamente disparados?

— Pelo menos a ordem foi dada, e, pelo que entendi da fala do cardeal, tais mísseis levam, em suas ogivas, bombas ultrapoderosas. Caso não tivessem sido lançados, creio que não haveria razão para tanta celeuma.

— Meu Deus! — exclamou Orione, perplexo. — Agora estou mais convicto do que nunca de que as coisas não vão bem para Michaella. Ela me confessou que temia algo assim; caso o asteroide se despedace...

— olhou significativamente para os dois enquanto terminava as breves explicações.

Orione saiu imediatamente do ambiente onde se encontravam, sem mais nenhuma palavra, e foi se aprontar para a viagem. Não mais ouviria as objeções de Damien. Em algumas horas, já voava rumo a Nova Iorque. Para tanto, serviu-se de seu passaporte diplomático e das facilidades que a Santa Sé lhe proporcionava.

EM CARÁTER EXTRAORDINÁRIO, o Conselho de Segurança das Nações Unidas se reunira outra vez, a fim de exigir explicações dos Estados Unidos sobre o disparo contra o asteroide que vinha em direção à Terra. Rússia, China, Índia e Japão convocaram a assembleia em questão.

O asteroide mudara sua trajetória, e, do ponto onde se encontrava a base de Cidônia, os mísseis disparados a partir de naves teleguiadas o esfacelariam, no entanto, confeririam impulso ainda maior aos destroços, que poderiam, então, se chocar com a Terra. Em virtude dessas previsões, o Centro de Observação Espacial da Nasa expediu um comunicado aos países mais desenvolvidos alertando quanto ao perigo iminente, ao passo que o governo norte-americano se desculpava formalmente pela atitude irresponsável e insubordinada de um dos mais afoitos comandantes militares, garantindo punição na corte marcial. Cientistas da Agência Espacial Chinesa admitiram que o bólide tinha uma chance em 20 mil de se chocar com a Terra, isto é, era alta por demais. Contudo, eram incapazes de explicar por que a rota do astro se modificara.

A comunidade científica estava em polvorosa; pesquisadores de diversos países apresentavam as mais esdrúxulas teorias sobre as consequências do impacto iminente. Baseados em dados como massa, velocidade e o ângulo do visitante celeste em relação ao Sol, entre outros elementos, concluíram que o evento ocasionaria a extinção da vida humana sobre a crosta terrena caso o asteroide colidisse dotado da massa e do volume originais. No entanto, uma vez emitida a ordem de disparo, ele seria inevitavelmente despedaçado. As consequências, porém, não seriam mais amenas. A força liberada a partir de um choque nessas proporções, entre dois corpos celestes, interferiria nos movimentos orbitais da Terra e da Lua, além de mudar radicalmente o ecossistema e a geografia do planeta, desencadeando efeitos até certo ponto imprevisíveis sobre o meio ambiente. Na verdade, ninguém poderia prever com razoável precisão as reações do bioma terrestre; as estimativas iam de cenários catastróficos a aniquilação completa.

O ineditismo da situação capturou a atenção não só da comunidade científica, como também dos militares e das agências espaciais e de inteligência, de modo que até os desafios e os conflitos emergentes da segurança internacional foram deixados em segundo plano. Organizações estabelecidas por tratados internacionais de segurança e de cooperação estratégica, além de órgãos e alianças multinacionais, envolvendo países dos cinco continentes, não mediram esforços para, naquela hora grave, colocar as diferenças de lado e enfrentar a crise sem precedentes motivada pela colisão iminente do astro, batizado com o nome de Seth, em alusão ao deus egípcio da violência e da maldade. Todos aguardavam os resultados do bombardeio[17] a Seth, imprevisíveis no momento.

— Atenção, Cidônia! Aqui fala o controle da missão

17. Em qualquer texto que se proponha a abordar o futuro, um dos obstáculos imediatos que se apresenta é a linguagem — obstáculo este que tende a ser tanto maior quanto mais dilatado for

Seth! A nave levando os mísseis está a caminho do asteroide. Favor avisar Houston!

— Aqui é Cidônia, a estação de Marte! A Terra está incomunicável. Estamos trabalhando no escuro. Prossiga, controle.

— A nave rebocará os mísseis até uma distância de 60.000km de Seth. Depois, será desligada, e os mísseis cumprirão o restante do programa. Faltam apenas 30 minutos para o impacto. Alguma ordem de Houston? Devemos prosseguir?

o período entre o momento em que se escreve e o tempo sobre o qual se fala. Textos de natureza premonitória são aqueles onde mais nitidamente a limitação de vocabulário se mostra, pois o profeta narra com a terminologia de que dispõe visões ou eventos que não compreende inteiramente. Nesse contexto é que o espírito Estêvão defende, de modo plausível, que João Evangelista teria descrito os caças da Segunda Guerra Mundial, embora ninguém espere encontrar palavras como *avião* e *míssil* no texto bíblico (cf. Ap. 9:1-10. Cf. PINHEIRO. *Apocalipse*. Op. cit. p. 140-142). Algo do gênero também se pode verificar na obra ficcional de Júlio Verne, que, entre tantas previsões acertadas, mencionou um aparato chamado *phonotelephote*, equivalente aos equipamentos de videoconferência atuais, mas com nome e data

— Não podemos abortar a missão. O alto comando já deu a ordem, e o contador universal já foi acionado a partir da Terra. Desde então, foi cortada toda a comunicação por motivos de segurança. Portanto, prossiga com a missão.

Aqueles foram os minutos mais longos da história humana. Dada a gravidade do assunto e seu teor altamente confidencial, a população foi poupada de acompanhar as minúcias dos acontecimentos.

De um lado, na Terra, cientistas, militares, di-

peculiares (cf. VERNE, Júlio. *O dia de um jornalista americano no ano 2889*. Lisboa: Vega, 1995).

No caso em destaque, fala-se em *bombardeio* no espaço sideral. Geralmente, no contexto bélico, o ato de bombardear envolve algum tipo de explosão ou combustão, o que, por óbvio, não pode ocorrer onde não há atmosfera. O leitor deve, portanto, compreender o uso desse e de outros termos que lhe são familiares, ao longo do texto, como mera aproximação, sem necessariamente implicar restrições do entendimento vigente. Questionado quanto aos métodos de bombardeamento futuros, Verne lançou hipóteses como a da bomba de nêutrons, que seria capaz de provocar a desagregação ou o esfacelamento da matéria sem requerer oxigênio para ser detonada e se propagar.

plomatas e demais autoridades acompanhavam os acontecimentos por meio dos computadores subluz. Hologramas eram projetados ao redor do mundo, diante de plateias tão ilustres quanto absolutamente impotentes para interferir no andamento dos fatos. Não havia tempo nem condições de comunicar-se com a base em território marciano. Após a ordem de bombardeio, o general rebelde, agora preso por decreto presidencial, mandara cortar todas as comunicações com a Terra. Ele seguia à risca a ideia disseminada entre os militares de que deveria priorizar a vida dos compatriotas e o estilo americano de viver, acima de qualquer situação. Como temia que países dos blocos de poder rivais pudessem interferir abortando o programa que pretendia esfacelar Seth, deu ordem ao computador de que só restabelecesse comunicação após a retomada da segurança terrestre — ou seja, segundo acreditava, após a destruição de Seth.

De outro lado, em Cidônia, a situação também era tensa ao extremo. Viam o percurso da nave que carregava os mísseis, mas não tinham ingerência sobre os acontecimentos nem informações sobre os cálculos a respeito da rota de colisão entre as ogivas e o asteroide. Como militares, apenas cumpriam ordens, mas não sem apreensão. Viam a luz que brilhava no foguete que transportava dois super-mísseis, um de cada lado. O foguete ou nave riscava o espaço sideral rumo a Seth, que se locomovia a uma velocidade incrível. Os mísseis comportavam, cada um, duas bombas, que liberariam aproximadamente 400 megatons de energia, pretensamente pulverizando Seth ao mirarem-lhe o núcleo. Era o que esperavam.

A nave estava equipada com câmeras de última geração, as quais transmitiam as imagens ao vivo — com apenas alguns segundos de atraso. A visão do asteroide era de uma beleza terrível. A cauda, portentosa e iluminada, lembrava um lança-chamas de dimensões extraordinárias e irradiava-se espaço afora. A nave não era tripulada, portanto, não havia humanos a bordo que pudessem sentir os efeitos do calor irradiado pela cauda flamejante.

Por óbvio, não houvera tempo o bastante para calcular todos os detalhes da operação, devido à ação do comandante, que a deflagrara repentinamente. Contudo, sabia-se que o vácuo quântico produzido pelo deslocamento do asteroide seria suficiente para tragar os mísseis, como também a própria nave lançadora, que deveria se despedaçar em contato com a massa sólida de Seth, ainda que sem lhe influenciar a rota.[18]

Assim que a nave cumpriu sua função, as ogivas foram detonadas em pleno espaço. Não houve explosão, devido ao vácuo espacial; tudo quanto se observou foi uma luz muito brilhante a consumir o asteroide, dando a impressão de que fora totalmente destruído. Enfim, a atitude do comandante norte-americano coroara-se de êxito, apesar de haver sido levada a efeito contra todas as regras estabelecidas nos tratados internacionais. Tal êxito, contudo, não o livraria de enfrentar a corte marcial, tampouco eximiria o bloco norte de lidar com as implicações diplomáticas acarretadas pelo episódio.

Imagens de telescópios potentes mostravam uma nuvem de detritos, como uma espécie de poeira cósmica, que se dispersava espaço afora, longe de causar qual-

18. De acordo com o autor espiritual, até 2080 haverá descobertas significativas concernentes às partículas que compõem o vácuo interespacial. É em alusão a isso que introduz a expressão *vácuo quântico*, referindo-se ao movimento de certas partículas causado por campos gravitacionais ou magnéticos potentes, associados a deslocamentos de alta velocidade no cosmos.

quer preocupação aos homens da Terra. Não obstante, a visão a partir de Cidônia parecia ser diferente. Os poucos homens lotados na base em Marte permaneciam intrigados. E assim permaneceram até o sistema de comunicação ser restaurado, semanas mais tarde.

EM OUTRO LUGAR, dois homens conversavam.

— Todos os cientistas estão preocupados com o que ocorre no planeta — falou o Cardeal Duncan a outro membro do Vaticano.

— Tenho acompanhado com interesse os acontecimentos, Vossa Eminência. Gostaria muito de falar com nosso agente Orione e sua amiga Michaella. Eles agora seriam muito úteis ou, quem sabe, ao menos poderiam nos confortar.

— Não estou certo de que as notícias que porventura tenham sejam reconfortantes, padre, tampouco de que Orione, neste momento, possa acrescentar algo ao que ora sabemos. Não sei se já é do seu conhecimento, mas o sistema de segurança planetário disparou em boa parte dos países. Três meses depois da aparente destruição de Seth, começaram a ocorrer diversos fenômenos naturais. Soou alerta de *tsunami* no Pacífico, e, agora, a costa de mais de dez países sofre com ocorrências do gênero. De outro lado, furacões se proliferam, e cada vez mais vulcões têm se tornado ativos ou entrado em erupção em diversas partes do globo. Será pura coincidência? Até o litoral africano, onde antes nunca se viram maremotos, foi acometido. A costa leste dos Estados Unidos corre grande risco, como se sabe, e a população está sendo evacuada em vários locais.

— Sei disso, sei disso! O que mais me preocupa, entretanto, e creio condizer com o que afirmam diversos cientistas, é o fator que desencadeou todos esses fenômenos. Essa espiral de reações da natureza só foi gerada após a destruição de Seth, há mais de três meses, como disse.

— É verdade — tornou o cardeal. — Infelizmente, certas ilhas foram varridas do oceano abruptamente. Ainda que fossem pouco populosas, isso representou a morte de dezenas de milhares de pessoas. A violência da natureza tem ganhado contornos graves até mesmo para o contexto das últimas décadas. Seja como for, tentei por todos os meios trazer a atenção do Santo Padre de volta ao Vaticano, pois, neste momento de tão grandes turbulências, acredito que ele ficaria mais bem-abrigado aqui, em vez de viajando pelo mundo.

— Não adianta, Vossa Eminência. Sabe muito bem que Pedro II jamais daria ouvidos a nós.

Os dois se olharam apreensivos, dando por encerrado o assunto, ao menos por ora.

ENTREMENTES, muito longe das colinas de Roma, novos acontecimentos se sucediam. Michaella e seus companheiros estavam prestes a se libertar por meio da ação de Hadassa e seu exército da paz. Ao chegarem em frente ao local onde os cientistas eram mantidos aprisionados, Hadassa e os demais guardaram certa distância da porta. Michaella olhou pela pequena abertura e viu o grupo de seus estranhos amigos.

— Afastem-se da porta! — falou para os cientistas, num misto de euforia e ansiedade.

— Que está acontecendo!? — perguntou Mike.

— Meus amigos vieram nos libertar. Pelo que conheço, vão explodir a porta.

Sem Michaella lhes dar mais explicações, todos obedeceram, olhando para a mulher sem entender o que se passava.

Do lado de fora, Hadassa, resoluta, depositou um artefato junto à porta de metal pesado. Mais de 30cm de puro aço separavam-na da amiga, que já estava ali há algum tempo. Haviam levado água e comida para os prisioneiros se alimentarem durante a fuga. Acima deles, nos andares superiores, onde a comitiva passara, algumas pessoas voltavam do transe um tanto perdidas, com ligeira lembrança do ocorrido, no entanto, sem muita clareza. Um homem resolveu acionar o alarme e chamar a central de segurança. Mas nada. Não havia ninguém, estranhamente. Ativou então o dispositivo da NetVision e falou diretamente com um militar que era seu conhecido, o qual trabalhara naquelas instalações até bem pouco tempo.

— Algo estranho se passa por aqui. Os militares desapareceram, e os guardas parecem haver abandonado repentinamente seu posto. Sei que há intrusos no prédio, mas não tenho autoridade nem competência para tomar nenhuma decisão.

— Enviarei um grupo armado agora mesmo — respondeu o interlocutor, que apareceu numa espécie de holograma, à frente dos seus olhos, embora fosse apenas uma projeção do dispositivo implantado no nervo ótico do autor da chamada. Foi o bastante para, em minutos, aparecerem sete homens fortemente armados. Tudo isso enquanto o grupo de Hadassa caminhava pelos corredores do prédio, nos andares inferiores, no subsolo.

— Agora! — determinou Hadassa. E o explosivo fez seu trabalho silencioso, derretendo a pesada porta de metal que os separava dos homens capturados. A fumaça dispersou-se lentamente, mas Hadassa nem ao menos esperou por isso.

— Vamos, Michaella, venha com os demais! Temos urgência.

Saíram um a um e foram socorridos com a água e os alimentos; logo partiram corredor afora. Depois de alguns minutos correndo a fim de vencer a distância até a superfície, Michaella parou de chofre, à frente do grupo.

— Parem já!

Ficou ali alguns segundos com os sentidos alterados, como se estivesse utilizando antenas psíquicas para detectar algo no entorno. Eram seus sentidos paranormais em ação. Os cientistas ainda não sabiam da ligação de Michaella com os novos homens. Na verdade, nem acreditavam que eles existiam; achavam que se tratava de uma invenção do governo para justificar gastos aquela história de contar ao público acerca de um suposto grupo de indivíduos com habilidades psíquicas que mereciam investimento. Porém, agora estavam diante de pessoas incomuns, embora ainda não as tivessem visto em ação.

— Fomos descobertos! — decretou ela. — Soldados revistam o prédio de ponta a ponta neste exato momento.

— Como sabe disso se eles sumiram há bastante tempo? — perguntou o cientista Dr. Vran Kaus.

Os demais já estavam desconfiados de Michaella, de que algo ela lhes escondia, pois, em alguns momentos, demonstrava estar em contato com alguém, mas não revelava com quem. Ela acionara seu psiquismo sem que os companheiros cientistas soubessem, embora não pudesse dissimular o fenômeno em seu semblante.

— Intuição feminina — respondeu Michaella, desconversando.

Tentaram sair por uma porta lateral, toda enferrujada. Notaram, a princípio, que não havia ninguém por onde pretendiam passar e, assim, enfiaram-se pela abertura. No entanto, foram surpreendidos por três guardas armados, que logo os identificaram como invasores e fugitivos. Os soldados colocaram visores sobre os capacetes e se prepararam para acionar as armas narcotizantes. Michaella olhou para Hadassa, e esta imediatamente ergueu o braço direito para o grupo de novos homens, que cercavam os cientistas. Ellieth, Verônica, Hel-Eliot e Yuri, silenciosos, como de costume, apenas aguardavam a ordem para entrarem em ação. Enquanto um dos guardas acionava um dispositivo, chamando a atenção dos demais, espalhados pelas dependências do local, os novos homens acionaram as forças de seu espírito, derramando energia psiônica no entorno.

Ellieth agiu na mente dos guardas, fazendo com que os apanhados em fuga aparentemente sumissem de sua visão. Concentrou o pensamento, e, para os três, naquele momento, o grupo de cientistas e os homens estranhos desvaneceram-se. Contudo, tal gesto não resolveu a questão plenamente. Assim que, sob o ponto de vista do trio, o grupo de fugitivos desapareceu, a ajuda chegou: mais guardas vieram por trás.

— Eles sumiram bem diante de nós! — exclamava um dos três guardas para os recém-chegados.

— Como? Nós os vemos à nossa frente! — retrucou um dos que se aproximavam. Isso porque Ellieth precisava fixar seus olhos no alvo sobre o qual concentrava sua energia *psi*. Assim, ela fixara apenas os três que ali estavam até então. O grupo que viera dar cobertura, portanto, não foi alcançado por sua energia mental e podia ver os fugitivos.

Sem saberem o que ocorria, sem ao menos terem uma explicação para o fenômeno, os dois grupos de soldados empunharam suas armas. O primeiro não via o inimigo devido à ação de Ellieth. O segundo, vendo os cientistas e os novos homens, apontava-lhes suas armas. Antes que este pudesse entrar em ação, porém, Michaella gritou:

— Yuri, eles são todos seus! Hel-Eliot, cuide da primeira turma.

Yuri concentrou a força de seu espírito, e suas habilidades se mostraram muito eficazes, impressionando os libertos, deveras assustados, pois eram cientistas, e não combatentes. Naturalmente, temiam por suas vidas. Agora, porém, temeram as forças desencadeadas pelas mentes daqueles estranhos novos homens. Yuri concentrou-se ainda mais, num átimo de segundo que parecia uma eternidade, e as armas dos guardas que chegaram para dar cobertura aos primeiros literalmente derreteram em suas mãos. O metal começou a pingar em direção ao solo. Os soldados deram um grito de terror, pois apenas o que viam era um homem de 1,90m fitando-os, estático, com o olhar petrificado. Yuri tinha a expressão transformada, efetivamente, e não poderia falhar naquele momento.

Do outro lado, o primeiro grupo ficara, a princípio, paralisado, quando o judeu Hel-Eliot, então, entrou em ação. Em apenas alguns segundos a mais do que Yuri, exigidos para alcançar a concentração total, o homem imiscuiu-se na mente do trio inicial e projetou imagens mentais tão fortes, de cores tão expressivas, que os deixaram estupefatos. Num átimo, Hel-Eliot extraiu-lhes da mente os pesadelos mais horríveis que conheciam e fez com que tomassem forma. Um dos guardas caiu ao chão, petrificado de terror. Os outros dois permaneceram acordados, mas não despertos, pois que sob o efeito das habilidades de Hel-Eliot. Logo saíram correndo, feito loucos, deixando o companheiro desmaiado para trás.

Hadassa e Michaella, então, deram alguns passos em direção aos homens que restaram, os quais seguravam nas mãos as armas parcialmente derretidas. Em estado de choque, ouviram delas:

— Levem-nos em segurança até a saída do complexo. E depois mantenham segredo sobre o ocorrido. Vocês se esquecerão de tudo o que houve aqui. Entenderam? — disseram-lhes, com firmeza.

Os cientistas não entenderam nada, mas, como pesquisadores acostumados ao inusitado e ao incomum, absorveram as informações a respeito daqueles amigos de Michaella. Dr. Ryann olhou para o amigo Willany e, deste, para Mike Doing, sem tecer nenhum comentário. Com efeito, Vran Kaus foi o porta-voz dos pensamentos dos demais:

— Os novos homens! Eles existem mesmo… Não é ficção!

Michaella e Hadassa olharam para os cientistas e depois entre si. Foi Michaella quem sentenciou:

— Sim, nós existimos, doutores e amigos. Somos um grupo dedicado a atuar em favor da humanidade.

— Então você pertence aos estranhos?! — Dr. Willany pediu confirmação.

“Estranhos” era uma alcunha pela qual os novos homens também eram conhecidos entre militares e cientistas, devido ao fato de apresentarem habilidades incomuns, muito mais acentuadas do que o normal da humanidade. Michaella e Hadassa se entreolharam e não responderam de imediato.

— Vamos! Não temos tempo a perder — falou uma

delas aos cientistas, sem dar maior explicação. Aquele, afinal, não era o momento para tanto. — Os dois guardas que fugiram poderão retornar a qualquer momento — completaram.

Depois de Michaella fitar novamente os dois soldados que pusera sob efeito sugestivo após a ação de Yuri, os quais permaneciam impassíveis, o grupo saiu do complexo sem mais percalços. Passou quase sem ser percebido, pois se fazia acompanhar dos guardas, que caminhavam à frente dos demais de forma tranquila. A ação do *sugestor* ou paranormal à qual suas mentes foram submetidas comportava uma ordem mental muito mais tenaz do que a própria vontade de ambos.

Uma vez colocados em segurança, os cientistas se dispersaram, cada qual correndo contra o tempo à sua maneira, a fim de descobrir o que poderia ser feito no intuito de contornar os desafios que os acontecimentos impunham. Juntos, os novos homens resolveram agir também, porém, antes, foram chamados pelos guardiões, os seres supradimensionais que, além da barreira delicada que separa as realidades densa e sutil, comandavam a ação de Michaella e seus amigos. Todos ouviram a voz superior ressoar em sua mente, embora fosse uma voz não articulada.

— Vocês precisam sair tão logo possível de Nova Iorque — falou uma voz que se manifestava ao psiquismo dos novos homens, que haviam se dirigido às imediações da metrópole a fim de libertar sua líder, transferida para lá após a captura. — A cidade corre imenso perigo.

— Temos de tomar providências para evitar que o asteroide seja alvejado — retrucou Michaella, ainda sem saber dos últimos acontecimentos.

— Não adianta mais, minha amiga — falou o Imortal. — A humanidade está prestes a enfrentar seu destino, forjado por ela mesma por meio de suas atitudes e de seu comportamento. Vão, enviem uma mensagem pelo seu sistema de comunicação. Convoquem os novos homens do mundo inteiro e alertem, com discrição, todos que têm capacidade de entender, recomendando que abandonem a cidade.

— Mas como assim? Que está acontecendo? — perguntou Hadassa ao guardião. — Precisamos de mais detalhes.

— Vou lhes informar a localização de alguns artefatos que foram instalados para assolar a cidade. Vocês precisam se comunicar com os agentes da CIA e do FBI urgentemente; ainda há tempo para desarmar esses instrumentos de destruição. Entretanto, não é sobre esse perigo que advertimos. Há um inimigo vindo do espaço, e toda a humanidade sofrerá com sua chegada. Essa cidade e seus habitantes devem ser alertados, embora creiamos que poucos darão importância aos apelos.

Dizendo isso, o guardião transmitiu a Michaella e Hadassa a localização exata dos artefatos, das bombas que foram construídas durante anos e armadas em lugares estratégicos, a fim de promover um ataque sem precedentes à cidade. Tal ameaça, porém, não era nada em comparação ao que viria em seguida, embora evitá-la talvez amenizasse a situação tão crítica que se avizinhava daquela população e, por extensão, do país.

— Não há muito tempo. Devem deixar a cidade o quanto antes. Terão apenas alguns poucos dias para mobilizar as agências de inteligência e segurança do país. Porém, façam isso à distância. Após esses dias, não haverá mais como adiar os acontecimentos. Os ventos que sopram sobre a Terra serão segurados por um tempo, dois tempos e metade de um tempo. Depois, o que tem de vir virá e não tardará.

Michaella ficou pensando no significado daquelas palavras: "um tempo, dois tempos e metade de um tempo".[19] Seriam três anos e meio? Cada tempo seria correspondente a um ano? Eram enigmáticas as palavras do guardião.

— Mas não se preocupem em demasia — tornou a falar o ser de outra dimensão —, pois se determinaram novos tempos para serem inaugurados sobre a face do planeta. As dores antigas e os desafios coletivos cessarão por longo tempo. A humanidade se reerguerá, então; uma nova civilização surgirá sobre as cinzas da antiga, e estes tempos de dores não mais serão lembrados diante da glória do porvir.

A voz silenciou tão repentinamente quanto veio. Os novos homens ficaram atônitos diante das palavras do Imortal. Eram muitas as coisas que aconteciam ao mesmo tempo. Ato contínuo, Michaella acionou o dispositivo de comunicação e falou à central que coordenava as ações dos novos homens. Havia uma base incrustada num local ignorado pela maioria dos homens, no Himalaia; foi o local onde encontraram abrigo, uma caverna que ficava fora do alcance e do

19. Cf. Dn 7:25; 12:7; Ap 12:14.

conhecimento até mesmo de estudiosos. De lá partiu a mensagem transmitida por Michaella, a fim de que o máximo de gente possível abandonasse uma das cidades mais movimentadas do bloco norte.

Como consequência, intensa movimentação foi observada em todas as estradas e ferrovias, bem como nos aeroportos de Nova Iorque. Ao redor do mundo, muita gente sintonizada com os novos homens já estava preparada, em maior ou menor grau, para um alarme do gênero. Mantinham *kits* de sobrevivência à mão e apenas aguardavam um alerta daquela ordem. Deixaram casas, prédios, trabalho e outros afazeres, sobretudo nas imediações de Manhattan. Assistia-se a um êxodo silencioso, realizado sem maiores alardes. Sem darem explicações a chefes ou familiares que não comungavam consigo, que não acreditavam nem aceitavam suas palavras sobre o perigo iminente, muitos foram aqueles que tomaram a rota de fuga. A cidade fervilhava de gente por todo lado, como de costume; nem a grande massa nem sequer as autoridades notaram que muitos abandonavam Nova Iorque. Nos dias subsequentes, interpretaram a situação como se houvesse ocorrido um aumento fortuito do fluxo de pessoas que deixavam a cidade. Além do mais, muitas eram as questões a consumir os agentes de segurança e da polícia. Grande número de pessoas logrou sair em tempo, abrigando-se a relativa distância da grande metrópole. Houve até quem partisse do país, e não somente da Big Apple.

Os novos homens trabalharam a todo vapor, envolveram-se até o limite no apoio àqueles com quem mantinham contato e que, há duas décadas, eram avisados de um perigo iminente, de um inimigo invisível.

— Vão para longe! — recomendava a mensagem

holográfica enviada a todos cujo registro constava do banco de dados dos novos homens, por meio do sistema de comunicação subluz. Emitiu-se uma espécie de impulso, e, a partir disso, cada qual recebia, nos aparelhos implantados no nervo ótico, as informações de natureza urgente.

Enquanto isso, Michaella encarregou-se de remeter o alerta à CIA e ao FBI, em sigilo, denunciando os ataques terroristas, conforme detalhado pelos Imortais. Todo cuidado para preservá-la e aos novos homens era pouco, pois não queriam ser descobertos inadvertidamente. Em decorrência da precisão das informações, que soavam críveis e consistentes, agentes da lei entraram em ação em todo o país, principalmente na chamada Big Apple.

Vagando de um lado a outro na metrópole que não dormia, Orione não conseguia, de forma nenhuma, obter notícias de Michaella. A cientista russa, por sua vez, estava ocupadíssima com os novos homens, que auxiliavam famílias inteiras a partir.

Não havia tumulto, até porque não tinham informações concretas sobre o que se sucederia. Agiam movidos não por provas materiais — de que por ora não dispunham, apesar das evidências —, mas, sobretudo, por fé e convicção na seriedade da equipe do Imortal que os guiava, bem como em seus representantes de carne e osso. Processo análogo ocorria em capitais como Roma, Londres, Rio de Janeiro, Pequim, Paris e Tóquio, entre outras cidades importantes, onde os novos homens estabeleceram bases de ação humanitária. Alertas se fizeram ouvir em diversos locais da Terra. Todos foram disparados por influência do guardião, que advertia seus tutelados e os instigava a auxiliar, onde quer que estivessem. Ao longo do tempo, nos trinta anos precedentes, os Imortais instruíram os novos homens a construírem abrigos em lugares previamente indicados, a fim de receber o número maior possível de pessoas. Ao redor do globo ocorriam ações semelhantes às que se viam em Nova Iorque, um êxodo organizado, relativamente tranquilo, rumo a regiões distantes daquelas tão densamente povoadas, a locais apontados pelos seres da outra dimensão. Para quando seria o evento esperado, isso ninguém sabia. No entanto, já haviam desenvolvido confiança suficiente no guardião para acionarem todos os recursos e não esperarem mais. Responderam à altura da urgência, do apelo do Imortal.

— Não temos como alertar sobre o perigo iminente usando os meios de comunicação tradicionais, muito menos a NetCosmic — falou Hadassa.

— O problema é que não sabemos exatamente no que consiste e como virá o perigo. Até porque existe a ameaça real dos explosivos, já instalados em locais estratégicos, que, caso sejam acionados, bastarão para causar um desastre e tanto, não apenas ceifando vidas inocentes, mas precipitando uma crise geopolítica capaz de se alastrar globalmente e de detonar um conflito de graves proporções.

— Houve integrantes de agências de segurança a dizer que estávamos loucos quando lhes informamos a localização dos explosivos; mesmo assim, não puderam ignorar denúncias tão precisas. Principalmente no momento em que elegeram Washington como alvo principal, já que, na verdade, nossos dados colocam Nova Iorque em evidência — respondeu Michaella. — Dois dos explosivos já conseguiram localizar e desarmar, ainda bem. Isso lhes deu indícios mais que suficientes sobre nossa credibilidade. Os homens da CIA e do esquadrão antibombas do FBI estão empenhados na busca pelos demais. Ao menos essa catástrofe está se enfrentando e conseguindo evitar a tempo.

— Mesmo assim, o alerta do guardião continua de pé.

— Claro, minha amiga... — tornou Michaella, mostrando certo cansaço com toda a movimentação dos últimos dias. — Junto a isso tudo, afinal, há o maldito asteroide que se aproxima.

— Asteroide? Acaso ainda não sabe o que aconteceu? — perguntou Hadassa, só então imaginando que a amiga pudesse ignorar os últimos acontecimentos.

— Fiquei tão envolvida com a possibilidade de ocorrer a explosão das bombas em Nova Iorque que nem ao menos tive tempo para me inteirar dos acontecimentos lá de cima — falou apontando ao espaço. — Estivemos isolados na prisão, minha amiga; talvez eu precise ser atualizada.

— Um militar que esteve com vocês na conferência, um homem de alta patente do exército americano, assumiu a dianteira dos eventos e, num gesto de insurreição, deu ordem de destruição do asteroide.

— Mas isso não pode ser feito de maneira alguma! Temos provas matemáticas, equações e cálculos que demonstram ser essa a pior saída. Se for destruído...

— Já foi destruído, Michaella! Felizmente ou infelizmente... — sentenciou Hadassa, notando o ar de gravidade no semblante da amiga.

— Então compreendo grande parte da preocupação do Imortal...

Michaella deixou-se cair num banco, sentando-se desolada, ao mesmo tempo, algo deprimida, com uma depressão que parecia haver se acumulado por longo tempo antes de se fazer perceptível. Somava-se ao turbilhão de emoções e pensamentos a noção da urgência da qual falara o guardião. Porém, diante da notícia alarmante, decerto por saber as consequências ignoradas pela maioria dos homens, permitiu-se uns instantes de meditação.

— Devemos nos preparar para o pior, Hadassa — falou, cabisbaixa e pensativa, considerando o quanto o guardião estava certo. — Há exemplos fartos, na história, de militares e políticos agindo com precipitação e verdadeiro descaso ao verem o estrago causado por suas atitudes. Justificam-se alegando defesa da pátria e dos cidadãos, e em seguida as massas amargam as consequências. Esses nossos líderes humanos...

Diante do que Michaella sabia acerca do evento em curso no espaço e das possibilidades já confirmadas pelos cálculos matemáticos, as bombas em Nova Iorque significavam muito pouco. Voltando-se para a amiga outra vez, perguntou:

— Quando foi dada a ordem? Quando foi destruído o asteroide?

— Pelo que sabemos, minha amiga, a ordem foi dada no mesmo dia em que vocês foram feitos prisioneiros, porém, não sei quanto tempo demorou para ser cumprida.

Michaella pensou por alguns minutos, talvez fazendo contas mentalmente. Buscava rememorar os cálculos e as conclusões a que os colegas e ela chegaram ao analisarem o cenário de destruição de Seth, o asteroide ameaçador. Agora, com o fato consumado, a preocupação atingia níveis muito maiores do que os atentados terroristas eram capazes de provocar. Afinal, pôde compreender por que, embora as bombas tivessem sido armadas ali, no centro financeiro mundial, o alerta do Imortal abrangia tantas localidades, levando agentes de toda parte a tomarem providências análogas às que adotaram em Manhattan e imediações. No entendimento da cientista, as peças do grande xadrez cósmico enfim se encaixavam.

— Deve ter sido no mesmo dia! — retrucou repentinamente a mulher de nacionalidade russa, despertando daquela breve espécie de letargia. — Se conheço o sistema de defesa norte-americano, creio que o disparo tenha se dado no máximo em algumas horas após a ordem do comandante ensandecido. Agora entendo a pressa do guardião! Fomos tacanhas e confundimos as prioridades. É urgente sair da cidade. Vou fazer alguns cálculos e, então, alertar outros cientistas. Também preciso falar com Orione, que está no Brasil neste momento — assim espero.

Quem saía da cidade o fazia com certa ansiedade, não obstante, com relativa disciplina. Não era muita gente se comparada à população total que transitava por Nova Iorque. O mesmo se dava nas outras metrópoles do mundo onde os novos homens soaram o alerta. À exceção de Pequim, nas demais cidades, tudo transcorria sob a administração daqueles agentes dos guardiões, que trabalhavam com discrição, sorrateiros.

Havia um desconforto quase palpável no ar. De modo repentino, muitos começavam a chorar, sem motivo aparente. Uma onda de depressão ameaçava querer tomar conta de toda a gente; ao que tudo indicava, as pessoas captavam psiquicamente o que estava por vir. Durante longo período, os novos homens tentaram alertar os habitantes em geral, mas foram tachados de loucos ou fanáticos que espalhavam temor infundado. Desde então, os *estranhos*, como se tornaram conhecidos, decidiram que somente alertariam por meio da NetCosmic quem estivesse registrado em seu banco de dados, restringindo, assim, o âmbito da operação Arca de Noé, como nomearam a empreitada, que visava salvar a maior parcela possível da população.

Entrementes, Orione conversava com um conhecido e outro em busca de notícias acerca do paradeiro de Michaella. Ele corria sério risco e não sabia.

Apesar do perigo a que boa parte da população americana estava exposta, era uma gente que havia mostrado seu valor; o mundo não duvidava disso. Garra, espírito empreendedor, acentuada capacidade de adaptar-se e de produzir com qualidade lhe eram características marcantes. Especialmente nos últimos vinte a trinta anos, aquele povo havia sofrido bastante. Não obstante a ascensão da China ao posto máximo de liderança entre as nações, abocanhando o maior quinhão da força econômica naquela época, não pairavam dúvidas sobre a capacidade norte-americana de enfrentar adversidades e romper desafios, como costumavam fazer ao longo da história. Contudo, havia uma derradeira prova a ser enfrentada pela nação outrora mais pujante. Ninguém era capaz de se furtar ao jugo da lei de causa e efeito, que recairia sobre seus habitantes. O acúmulo das formas mentais, das formas-pensamento emitidas ao longo dos séculos não podia ser mais represado. Depois, a nação se renovaria e se mostraria ao mundo de modo diferente, aprimorado, com outra postura, em virtude dos eventos que toda a humanidade atraíra para si. Os norte-americanos teriam um papel importante na nova era que se avizinhava, assim como Brasil e Rússia. Antes, porém, as dificuldades deveriam vir e fazer despontar uma nova mentalidade, uma nova política e um novo projeto, que abrigaria a civilização a ser abalada.

Quem pudesse se abster dos detalhes por um momento e observar as coisas de maneira global, holística, talvez visse a Terra e as civilizações planetárias como em uma partida de xadrez. As peças, cada qual representativa das nações e do poder por elas exercido, modificavam-se de lugar no tabuleiro. Acontecimentos drásticos costumavam demarcar o fim de uma era e o advento de outra. De tempos em tempos, a própria natureza do jogo fazia as forças do mundo cambiarem, mantendo o equilíbrio, sem que os homens nada pudessem fazer para resistir; estes eram apenas atores de um grande drama cósmico.

Um tempo, dois tempos e metade de um tempo. Três anos e meio? Ninguém sabia ao certo entre os novos homens. Contudo, eles passaram a ter nesses números e nessa contagem simbólica o período que deveriam aproveitar para resgatar o maior número possível de pessoas e tirá-las de alguns grandes centros. Contudo, bem antes de completar-se esse período, antes que se acostumassem com a aparente tranquilidade, veio o inimigo; na altura, a operação Arca de Noé estava quase concluída.

Todos corriam de um lugar a outro. Naquele ínterim, a maioria dos homens e dirigentes políticos acomodara-se diante dos acontecimentos; as nações no cerne dos conflitos não promoveram mudanças importantes, apesar do alarde causado pelo desmantelamento de atentados terroristas em larga escala, como jamais se havia visto ao redor do mundo. As grandes potências enfrentavam-se, e, uma vez mais, o Oriente Médio era o palco onde todos se apresentavam para a batalha. Os poderes da destruição se articulavam. A humanidade, apenas meses depois dos eventos em Nova Iorque e em outras metrópoles, voltara à normalidade cotidiana, em vez de se examinar e se preparar. Até mesmo gente que havia saído das grandes cidades, dos grandes centros urbanos, para lá regressou, desdenhando dos apelos difundidos pelos novos homens. Após reiteradas acusações feitas exatamente por alguns desses indivíduos, iniciou-se uma perseguição aos estranhos — como muitos os chamavam, em caráter pejorativo. Assistiu-se a uma verdadeira caça às bruxas. Até que...

Em outro lugar, dois amigos conversam sobre as mudanças em andamento no mundo.

— A América do Sul vive momentos incomuns — disse Orione ao novo amigo em Nova Iorque, com quem se associara a fim de descobrir o paradeiro de

Michaella. — Não sei como será resolvida a situação do bloco de países sul-americanos. Vejo no Brasil uma alternativa, mas não sem antes modificar-se o sistema de poder por lá.

— Não somente a América do Sul enfrenta seus desafios, padre. Vivemos numa época, sobretudo após o início deste ano, de 2080, em que todos os países do mundo têm enfrentado sua demanda de problemas. Para mim, é como se o passado estivesse batendo às portas das nações e estas fossem um só organismo, um sistema conjunto, cujos habitantes seriam comparáveis às células. Nessa metáfora, na atualidade, todo o corpo enfrenta um processo de reestruturação, de modo que deve sanar-se e, também, expurgar seu passado. Não se restabelecerá a saúde, penso eu, sem o enfrentamento de uma espécie de doença depuratória, ou seja, sem o reajuste perante as leis cósmicas.

Já havia dois meses que Orione se transferira para os Estados Unidos, exatamente para Nova Iorque, à procura de sua amada Michaella. Ele nem imaginava que, àquela altura, ela não estava mais por lá. Não conservava tranquilidade nem sequer para pensar nos acontecimentos que tanto discutira com os colegas do Vaticano, a propósito dos quais, ao menos em tese, empreendia aquela jornada a outros países.

— A crosta se revolve, e novas terras emergem nas proximidades da Terra do Fogo — asseverava Walter Springs, o novo companheiro de Orione. — Você sabe, padre, como gosto de pesquisar profecias antigas. Foi exatamente isso que o trouxe até mim, tenho certeza. Talvez, até por iniciativa de alguém lá de cima na hierarquia romana. Fato é: não podemos ignorar que essas ocorrências todas, quase simultâneas, no planeta inteiro, sugerem um quadro de emergência, talvez um juízo final ou geral, como se quiser chamar. Enfim, teve oportunidade de ler os documentos que lhe transmiti pela NetCosmic?

— Sim, meu caro. Embora minha mente esteja o tempo todo pensando no paradeiro de Michaella, não pude me furtar a examinar os hologramas compartilhados por você.

— Sei de seu interesse quanto à sua amiga, contudo, não há como não se envolver com o que se passa ao redor do mundo. Hoje mesmo foi veiculado um documentário feito às pressas por um canal oficial estatal, com o apoio da ONU. A formação de placas tectônicas ao longo do continente americano, mas principalmente na costa chilena, está altamente instável. Algumas semanas após a destruição do asteroide, as placas começaram a se movimentar, a princípio lentamente, causando pequenos tremores, mas que evoluíram para verdadeiros terremotos, sentidos, sobretudo, na porção ocidental do continente. Observa-se, ainda, atividade intensa de vulcões, alguns dos quais há muito se consideravam extintos. Não se sabe se, de alguma maneira, tais fenômenos guardam ligação com a "pulverização" de Seth. Contudo, é inegável que sua incidência aumentou significativamente desde a ofensiva contra o astro. Novas terras no Pacífico e no Atlântico emergem lentamente, de modo que rotas náuticas vêm sendo redesenhadas. A maior surpresa é que, de acordo com as primeiras sondagens dessas ilhas, detectaram-se mananciais puros de água doce, que, é evidente, têm valor inestimável.

— Ora, Walter, sabemos muito bem que não são exatamente novos continentes que surgem, apenas pequenas porções de terra até então submersas...

— Sim, mas são como a ponta de um *iceberg*, padre! A descoberta ainda está sob investigação, mas uma coisa é certa: os cientistas envolvidos estão entusiasmados diante dos fatos. Ainda que precocemente estudadas, essas novas terras, que por ora podem ser chamadas de ilhas, já revelaram enorme potencial em matéria de riquezas naturais e biodiversidade. O reservatório aquífero encontrado nos diferentes locais representa a salvação do continente americano, acredita-se, no que tange à água potável, sem falar na fertilidade detectada nas terras cultiváveis.

— Ou seja... — apenas balbuciou Pe. Orione, ao ser interrompido pelo colega esfuziante.

— Enquanto, de um lado, as coisas parecem dramáticas e fatais neste 2080 em que vivemos, de outro, parece que a mãe natureza provê novos recursos para a manutenção humana. Como pesquisador, sou levado a crer que existe um plano em andamento, um propósito em meio a tantas novidades. Um plano inteligente, se é que me entende.

Orione pensou um tanto nas observações do amigo Walter Springs e teve de assentir.

— Realmente, algo acontece nos bastidores do mundo. Mas não sabemos do que se trata ainda. Sem dúvida, algo ou alguém manipula os destinos do homem. Para meus colegas que ficaram no Brasil, emissários do Vaticano, bem como para mim, as contradições do nosso tempo denotam que vivemos uma época na qual a humanidade "velha" é instada a se despedir do planeta Terra; outra mentalidade, outra humanidade, eu diria, está em vias de lhe tomar o lugar. Uma vez mais, o cetro do poder temporal muda de mãos, tal como ocorreu em tantas ocasiões, seja quando Roma deixou a liderança do cenário mundial, perdendo lugar para as nações da Europa, que aos poucos se constituíram e se fortaleceram, seja, ainda, quando a América anglo-saxã sucedeu, bem mais tarde, as nações europeias, entre tantos outros exemplos na história. Agora, só Deus sabe nas mãos de quem o poder repousará.

— Então, Pe. Orione, parece que Deus, ou seja lá quem for, ou o quê, modifica, de tempos em tempos, o arranjo de forças no mundo, migrando a locomotiva para ali ou acolá, vez ou outra, sem que o homem possa fazer alguma coisa para modificar esse fluxo.

— É o que eu penso, Walter — encerrou Orione, já com certo enfado em relação à conversa, que o distraíra brevemente das apreensões acerca de Michaella.

Cada dia mais o sacerdote se preocupava com a falta de notícias a respeito da mulher que tomara de assalto seu coração, sua alma. O tempo passava, e Nova Iorque parecia fervilhar de gente e de emoções. O nível de ansiedade sentia-se no ar; a depressão acometia centenas de milhares, talvez milhões de indivíduos. Suicídio, morte súbita por infarto do miocárdio e outros fenômenos do gênero multiplicavam-se exponencialmente, tamanha a tensão reinante. Era difícil afirmar que, naquele ano de 2080, as coisas andavam bem por ali, tampouco em outras metrópoles e grandes aglomerações humanas ao redor do globo. Havia alguma coisa no ar.

ENQUANTO ISSO, em solo brasileiro, Matheus e Damien conversavam, não menos inquietos. Como de hábito, Damien permanecia digladiando constantemente tanto com sua fé quanto com a realidade das coisas. Esse estado de conflito mais ou menos permanente fazia emergir em si, em uma escala cada vez maior, o medo. Em alguns momentos, o medo lhe assomava numa proporção tal que se achava prestes a sucumbir ao pânico, a ter um surto diante das numerosas ocorrências que ele julgava demonstrarem, de forma inequívoca, o fim do mundo. Mas até essa constatação apocalíptica ele tinha medo de reconhecer plenamente em si, quanto mais decretá-la em alta voz.

— Fico pensando, Damien... — principiou Matheus, sentindo-se um pouco mais próximo do colega, uma vez que já estavam há várias semanas sem a presença de Orione, aparentemente o mais centrado dos três. — Enquanto os eventos se precipitam pelo mundo, com novos focos de guerra e nova rodada de disputa entre as nações, além dos desafios de toda ordem que estouram aqui e acolá, noto que, no Brasil, as coisas começam a se acalmar, mesmo diante da ascensão do partido gospel ao poder. Como grande parte da população, dos empresários e das instituições não comunga com o ponto de vista do novo governo, o momento foi propício para o surgimento de um novo líder. O povo e a situação se mostraram favoráveis...

— Tudo indica que finalmente o povo amadureceu um pouco mais, Matheus. O novo líder surgiu de maneira tranquila, sem fazer partidarismo. Pelo que me consta, ele veio do meio do povo, não é mesmo?

— Os noticiários falam muito dele, embora o governo tente de todas as maneiras abafar a repercussão de seus atos e a popularidade que conquistou. Como o presidente é do partido gospel, a NetVision estatal procura pintar o novo líder como uma espécie de enviado de Satanás; porém, nem isso conseguiu abater a determinação do homem, que não quer ser candidato, nem de longe. É um líder nato, mas não dá ares de ter aspirações político-partidárias.

— Pois é, Damien... Como vê, algumas coisas boas observam-se aqui, como também em outros cantos do mundo. Noto como, repentinamente o povo russo começou a se interessar pela religião, de um modo como ninguém anteviu, até onde sei... A China abriu definitivamente as portas ao Ocidente, inclusive à religião cristã, de maneira que certas ideias têm impulsionado os chineses a verem o mundo de forma mais ampla. Quer por efeito dessa nova visão quer não, fato é que modificaram inteiramente o sistema de governo, abandonando o velho comunismo. Em suma, percebe-se estar em curso uma transformação incomum e profunda, em meio a todo o caos e à precipitação de eventos que nos parecem catastróficos.

Damien olhou para o sacerdote de origem brasileira dando-lhe razão quanto às mudanças comentadas. Não obstante, o francês mostrava-se impressionado era com os acontecimentos fatalistas e chocantes. Em sua mente, não havia lugar para as coisas boas ou as notícias que lhes emprestavam qualidade e à vida em geral. Talvez, ao menos em parte, porque os lances mais graves e abruptos chamassem muito mais atenção do que os mais suaves, ainda que estes também fossem determinantes; desastres, guerras e epidemias sempre foram campeões de audiência. No entanto, havia algo mais a despontar no horizonte, conquanto pouquíssimas pessoas conseguissem perceber além da dor e do sofrimento aparentes da população.

Prosseguiu Matheus:

— O aparecimento desse líder carismático, que não é vinculado a nenhum partido, tem atraído a atenção dos homens de bem no Brasil e nos países vizinhos. Ele surge justamente na vigência de intensa perseguição religiosa, de um governo que se arroga autoridade divina e, por isso, atribui a si próprio a missão de converter os cidadãos a seu modo de pensar e a suas crenças, desprezando o princípio de laicidade estatal garantido pelo texto constitucional, que intentam modificar a qualquer custo. Esse novo líder inaugura um tempo promissor neste quadrante do globo, sendo um porta-voz de esperança e fé. Ainda por cima, porque atua em meio aos políticos, apresentando-lhes uma proposta de retomada da credibilidade perante a população. Embora não ceda a pressões partidárias, envolve-se com os representantes eleitos, conclamando aqueles que realmente se interessam pelo povo e pelo bem do país. Parece que teve de haver um grande caos para que o eleitorado pudesse amadurecer e participar ativamente da escolha de uma nova forma de governo. Por isso veem-se manifestações em todos os estados da federação, inclusive naqueles que antes a integravam e se declararam independentes ao longo dos últimos anos. O novo líder mostra-se muito carismático e recusa-se a filiar-se a qualquer partido, descartando, portanto, a hipótese de concorrer a qualquer cargo político, ao menos por ora. Talvez essa seja sua maior força.

— Pelo que vi na NetVision — tornou Damien, mais interessado nos comentários de Matheus —, ele é um simples professor do interior do país, que se apresenta na NetCosmic com palestras e *workshops*, por meio dos quais pretende levantar a consciência moral do povo. Frequentemente é convidado tanto por protestantes tradicionais quanto por católicos e espiritualistas em geral para falar em seus templos e canais de comunicação — um público até então desiludido com a situação dos políticos e da política nacional.

— Isso mesmo, padre — falava para Damien, enquanto observavam o movimento das vias da cidade do 12º andar de um prédio localizado em bairro nobre da capital paulista. — Após alcançar pleno sucesso em sua maneira de se dirigir ao público, o sujeito resolveu viajar por todo o país, inclusive para os estados que declararam secessão. Discursou no Congresso Nacional, há alguns dias, a convite da oposição ao governo gospel, que cada vez mais perde apoio. Ele propôs aos parlamentares um movimento por meio do qual possam resgatar a mínima credibilidade perante a população, a fim de elevar o moral do país. Todos os representantes que forem eleitos, segundo defende, deverão abrir mão de qualquer ganho, de salário e ajuda financeira.

— O sujeito, então, está completamente louco. Jamais conseguirá o que propôs. Como políticos serão persuadidos a abrir mão da própria remuneração para continuar trabalhando em tempo integral?

— Não foi bem isso que ele defendeu, Damien. A ideia é que pessoas sem passado político, como empresários e outros que já fazem algo pela nação, que prestam um serviço à comunidade, sejam os próximos a concorrer aos mandatos públicos. Os postos de maior destaque e confiança, pleiteia ele, só serão preenchidos caso o eleito abra mão de seu salário e preste serviço voluntário.

— Nem aqui nem em outro lugar qualquer do planeta...

— Você pode estar enganado, amigo Damien; redondamente enganado. A princípio, a proposição desse homem foi de fato rechaçada, e ele foi considerado louco, ou quase, pela maioria, à exceção de dois senadores e três deputados, que imediatamente adotaram tal prática. Transcorridos apenas três meses desde então, tais congressistas alcançaram tamanho prestígio perante a população que os meios de comunicação lhes têm concedido grande destaque. Do modo como as coisas avançam, não duvido que, nas próximas eleições, a atitude encampada pelo novo líder ganhe adeptos e constitua um fator potencialmente decisivo.

— E esse sujeito, esse líder, ele se contentará em ficar fora da política?

— Até o momento, permanece viajando o país e, com seus argumentos, tem conseguido convencer muita gente de prestígio. Foi somente após ele iniciar esse movimento, que conta com a adesão de figuras tidas como responsáveis e éticas, que os estados secessionistas reuniram-se novamente em favor da nação. Nota-se, ainda, o surgimento de uma nova onda de nacionalismo, como talvez nunca se tenha presenciado. Existem chances reais de que o país dê um salto importante na qualidade do governo. Não se sabe exatamente aonde isso vai levar, mas, de toda forma, é uma proposta bastante auspiciosa. Afinal, o Brasil poderá ser o celeiro de práticas renovadoras.

— Talvez isso explique, em parte, o interesse crescente de outras nações por este pedaço de mundo — falou Damien. — Principalmente chineses e russos mostram-se mais abertos às ideias de espiritualidade, que, é forçoso reconhecer, sempre foram pauta por aqui.

— É verdade, tanto que cresceu o número de pessoas advindas da China e da Rússia, que, nesse intercâmbio, levam ideias de espiritualidade aprendidas por aqui. Motivado também por esse fator e, creio, devido à nova mentalidade que surge, o comando da Santa Sé nos pediu um olhar especial no que concerne ao Brasil. O mundo inteiro comenta, à parte os momentos graves que se vivem, sobre o fato de os dois gigantes asiáticos passarem a ser uma frente de ideias cristãs, o que está na contramão de sua realidade histórica.

— Com efeito, trata-se de uma reviravolta surpreendente — complementou o padre francês.

— Até onde percebo, países do extinto bloco soviético hoje veem nos princípios do cristianismo, mas principalmente do espiritualismo, uma espécie de "remédio" para a situação social complexa que enfrentam, a qual acarreta repercussões até mesmo sobre suas atividades econômicas. Imagine um líder político partidário das ideias cristãs subindo ao poder nessa região? Ao longo de poucas décadas, a Rússia tornaria um dos países mais religiosos do mundo... Isso é realmente notável. No início desta década de 2080, uma nação oficialmente considerada materialista passa a adotar visões espiritualistas, pois vê nas religiões de todo matiz uma esperança para os dias tão caóticos que marcam tanto seu passado como a realidade presente, que, sob qualquer ótica, é inquietante. Seja como for — respirou fundo o Pe. Matheus —, ideias inspiradas no cristianismo florescem rapidamente na nova geração, em lugares jamais sonhados.

O colega ficou pensando nas palavras do sacerdote brasileiro. Observou que este se mostrava bem-informado sobre os acontecimentos mundiais, notadamente no âmbito sociológico da religiosidade e da espiritualidade, tema que lhe escapava, bem como a Orione, a partir de certo ponto.

Arrematou Matheus:

— Em meu relatório ao Vaticano, serei bastante claro, apresentando dados que observei. Na Rússia surgirá um farol para a humanidade que sobreviverá às catástrofes. Os princípios de liberdade florescerão por lá, de maneira que, acredito, em apenas algumas dezenas de anos, talvez mesmo antes do fim deste século, a Rússia, tanto quanto o Brasil, representará esteios de liberdade, apesar da tradição totalitária daquele país. O conceito de fraternidade ganhará força em meio à população, que tanto sofreu ao longo dos séculos. A partir de lá, veremos se disseminarem ideias de humanismo e liberdade. Segundo meu ponto de vista, mesmo a China será um grande aliado dessas novas ideias, pois tais países trazem, no seu histórico, a falência de seu sistema político e social, portanto, aspiram a mudanças. Em suma, vejo que, embora estejamos às voltas com acontecimentos tão marcantes, chocantes e complexos no que concerne à sobrevivência da humanidade, começa a despontar uma nova perspectiva de paz.

— Você é realmente otimista, Matheus! Muito otimista — concluiu Damien, esboçando o único sorriso visto em sua face desde há muito.

Entrementes, lances graves eram aguardados pelos grupos de novos homens espalhados pela Terra. Verdadeiro parto estava por eclodir; um parto de proporções planetárias. Uma nova humanidade nasceria. Como em todo parto natural, dar à luz implicava contrações, dores e, quem sabe, incômodos ainda mais sérios.

DE REPENTE, sem que nenhum aviso prévio fosse dado, um corpo celeste caiu do espaço. Outros pequenos

objetos vieram em comitiva, prenunciando o cortejo que traziam consigo.

A maioria dos cientistas envolvidos com o asteroide Seth, como se apelidara o bólide espacial, havia se descuidado, pois dera por certa sua pulverização. A minoria deles, mais atenta às evidências, tentou advertir os governos do mundo sobre a possibilidade de alguma ocorrência ligada aos detritos do asteroide, porém, foi rechaçada. Estes cientistas temeram ir à imprensa, pois um aviso dessa natureza à população causaria histeria e caos, segundo pensava grande parte de políticos, militares e autoridades. De qualquer forma, os pesquisadores mais responsáveis alertaram que pedaços menores de Seth, que fora atingido pela bomba disparada a partir da base em Cidônia, dificilmente seriam detectados a tempo, antes de penetrarem a atmosfera e se lançarem sobre a superfície.

Debates à parte, a realidade se impôs. A partir do primeiro objeto, que acertou o Mar do Caribe e causou um *tsunami* de dimensões impressionantes, ligeiramente ao sul de Cuba, soou o alerta por todo o planeta. Ninguém mais poderia contestar que algo grave estava em pleno curso. Poucas horas após a catástrofe, o país estava às voltas com inundações sem precedentes na história da ilha. Algumas das chamadas Pequenas Antilhas foram imediatamente varridas do mapa. Como se não bastasse, logo em seguida novos pedaços de Seth, que foram batizados pela imprensa de filhos de Seth, caíram em águas caribenhas. O impacto foi enorme. A costa sudeste dos Estados Unidos foi seriamente atingida. Nesse contexto, a dramaticidade envolvida não podia ser mais real. Em questão de dias, o arquipélago que formava a nação cubana, em seus mais de 110.000km^2 de extensão, foi submerso.

O impacto de tão grave notícia abalou fundamentalmente o planeta. Um a um, os países ao redor do globo declararam alerta máximo. Decididamente, o perigo não havia sido superado com a suposta destruição de Seth. Porções do asteroide, cujas evidências até então eram minimizadas pelo *establishment* científico internacional, quando não desdenhadas pelos que se consideravam especialistas, desde então passaram ser detectadas e monitoradas por todos os radiotelescópios em operação. Não fora tão simples livrar-se de Seth, o deus egípcio da morte e da destruição que adquirira contornos reais na forma daquele astro. Novo corpo celeste — mais um filho de Seth — estava em rota de colisão com a Terra. Depois dos desastres ocasionados pelos primeiros meteoritos gigantes, as instituições de socorro humanitário e apoio em casos de catástrofe mobilizaram contingentes e recursos disponíveis, deslocando-os, em parte, para a região do Mar do Caribe e do Golfo do México.

Aviões ultrassônicos, dotados de tecnologias que lhes permitiam ascender às camadas mais externas da atmosfera terrestre, foram enviados por vários países, num esforço coordenado a fim de fragmentar os pedaços do asteroide antes que a penetrassem, uma vez que levavam armamentos potentes. Porém, a manobra não foi suficiente. Um bólide caiu num local bastante sensível, a falha de San Andreas, provocando terremotos duradouros, recorrentes e cuja intensidade atingia os picos da escala vigente. A humanidade entrara em emergência máxima. A Califórnia foi a mais atingida; além de sofrer abalos ainda maiores que os de costume, uma fenda se abriu no solo, rasgando a terra por mais de 600km de extensão, justamente a partir de onde o meteorito gigante atingira a crosta. Aquele filho de Seth agira como um bisturi cósmico, rasgando as entranhas da Terra. Não havia mais como esconder da população de qualquer lugar o que acontecia; controlar o pânico e o fluxo de informações era missão impossível.

O mundo passava por transformações incríveis no início da década de 2080. Mas ainda não era o fim. Aquele era apenas o começo das dores, as dores do parto de uma nova civilização.

Quinze dias após esses fenômenos, os governos e os organismos internacionais permaneciam absortos na ajuda às cidades afetadas; os nervos da população mundial ainda estavam à flor da pele. Aquela situação foi quando se assistiu ao maior cataclismo da história dos Estados Unidos. Nenhuma previsão meteorológica dera conta de tal fato, apenas os profetas do passado, como Edgard Cayce e, talvez, Nostradamus e João Evangelista, em seu Apocalipse. Avisos foram dados ao longo dos séculos, por canais diferentes — mesmo no âmbito da cultura de massas, da literatura de ficção ao cinema[20] —, entretanto, quem poderia imaginar que vaticínios tão tenebrosos se cumpririam? Um abalo de proporções assustadoras fez um dos edifícios mais importantes da Big Apple se desestruturar, exatamente em Manhattan. Logo em seguida, um bloco de pedra desceu como um míssil dos céus, tendo se mantido mesmo após o contato com a atmosfera terrestre. Como se não bastasse, nas horas subsequentes à meia-noite, quando se deu a colisão, e enquanto equipes de emergência acudiam a população atingida pelo desastre, uma série de novos abalos chacoalhou a cidade que não dormia. A população sobrevivente saiu às ruas em completo desvario, sem entender que

20. Por recomendação do autor espiritual, este livro traz, como anexo (p. 274-282), a título de curiosidade, uma lista não exaustiva de filmes que retratam, em tramas as mais diversas, a destruição de Nova Iorque e de outras partes do globo. Inegavelmente, trata-se de uma ideia ventilada com larga frequência no mundo do entretenimento.

espécie de ataque ou guerra havia eclodido. Os que não corriam de um lado para outro berravam em absoluto desespero pelos seus que foram soterrados ou vitimados por incêndios e explosões, sem contar os que apelavam, rogando clemência aos céus, diante do que identificavam como manifestações da ira divina. Os serviços de segurança e socorro entraram em colapso, dada a magnitude do cataclismo que se abatera sobre Nova Iorque. Raros eram os habitantes que conseguiam manter-se em relativo equilíbrio em meio ao caos que se instalara.

Mal a NetCosmic dera conta dos relatos verdadeiramente dramáticos que partiam da América, a sanha destruidora de Seth assolou o Velho Mundo, a começar pela capital do Reino Unido. Golpeada por outro bólide, que desceu feito uma fogueira ardente, Londres também se viu em chamas e às voltas com a fúria celestial. Dublin, mais a norte, Dubai e Hong Kong, a leste, foram em grande medida devastadas, sentindo o ímpeto e a mão impiedosa de Seth. O pânico era universal; os alertas não mais faziam sentido, diante de tanta calamidade e tamanha surpresa quanto às tragédias.

Sirenes foram ouvidas nos cinco condados daquela

que ainda guardava muito do prestígio de capital cultural, financeira e diplomática do mundo. Explosões e mais explosões, sangue, destroços e devastação; no intervalo de algumas horas, o aspecto da cidade que por muito tempo fora considerada a rainha de todos os povos havia se transformado radicalmente. O impacto dos pedaços de Seth que mergulharam na atmosfera terrestre trouxe uma avalanche de flagelos como jamais se esperara. O orbe foi obrigado a acordar em meio a dor, lágrimas, ruína, caos e sofrimento. Os americanos tiveram seu dia mais tenebroso, ou noite, pois a partir de Manhattan a calamidade se alastrou, num abalo sísmico causado por mais três filhos de Seth, que vieram do espaço de um momento para outro, deixando a cidade e o país em polvorosa. Foi tamanha a dimensão da hecatombe que o ataque às torres gêmeas, no início do século, empalidecia perante as forças avassaladoras que agora abalavam para sempre a estrutura daquela nação. Rússia, Japão, China, Alemanha, França e Reino Unido logo se dispuseram a enviar reforço especial ao bloco norte, acometido pela calamidade como nenhum outro na face da Terra.

Ainda no decurso daquela madrugada de horror,

que representava a maior evasão de espíritos da superfície do planeta, jamais ocorrida em tempos modernos, a cidade como um todo encontrou a repentina destruição. A NetCosmic não conseguia acompanhar o ritmo das ocorrências assustadoras, tampouco dispunha de meios para escalonar a gravidade crescente das sucessivas notícias que difundia afoitamente. Mesmo os novos homens hesitavam sobre como auxiliar e não sabiam o que fazer em várias partes do mundo. Caso os homens que sobreviveram tivessem olhos para ver, veriam enormes naves etéricas percorrendo os escombros daquela que outrora fora a mais brilhante entre as cidades humanas. Recolhiam para seu interior a multidão de espíritos que deixava o corpo físico à maneira como indivíduos abandonam suas roupas.

Talvez nem Roma, durante o incêndio patrocinado por Nero, tampouco Cartago, Herculano ou Pompeia tivessem visto tamanha calamidade, em proporção tão grande assim. Como algumas dessas outras cidades, Nova Iorque representara o epicentro, o fulcro mais importante da humanidade por bastante tempo, e ainda ocupava um lugar central no mundo. A ocasião única assinalava a partida de fatia expressiva da população de homens e espíritos; era um momento para a mudança completa de paradigmas e de categoria de todo um planeta.

Diante de acontecimentos tão escabrosos, as tropas de diversos países reunidas no Oriente Médio à espera da grande batalha receberam ordens para retornar aos postos de origem. Ninguém se arvoraria em começar uma guerra mundial, somando mais destruição e dor àqueles milhões de almas atingidas em cheio pela onda de flagelos que se abatera sobre as nações do mundo. O comandante-chefe dos Estados Unidos adoeceu gravemente; enquanto ele era internado urgentemente, o vice-presidente assumiu a frente dos EUA.

O Secretário-Geral da ONU se pronunciava de Genebra, para onde partira na antevéspera do Dia Z, como a imprensa logo denominaria aquela data. Na sede suíça, coordenaria uma conferência de paz com representantes das principais nações, buscando evitar um novo confronto mundial, quando a hecatombe subitamente ceifou a vida de milhões de criaturas. Logo trataram o episódio como o maior abalo que acometera a civilização já registrado na história recente da humanidade. O edifício-sede da ONU foi completamente destruído em um único momento, antes do raiar do dia.

Choro, pranto, revolta e rancor se misturavam, enquanto o mundo prostrava-se em luto diante das ocorrências. A Big Apple, a grande Babilônia moderna, ruíra até os alicerces; muito pouco restara para testificar seus dias de glória.

Todos os aeroportos do bloco norte foram fechados para pousos e decolagens. Fora decretado estado de emergência em todo o território americano e também no canadense. O auxílio tão aguardado de vários países teve de ser redirecionado a Londres e às demais cidades onde catástrofes semelhantes se sucederam, ainda que em menor proporção, durante a madrugada daquele dia fatídico. De todo o mundo vinham recursos para amparar aqueles que se salvaram da devastação nas metrópoles afetadas. Militares chocaram-se com os acontecimentos; o primeiro ímpeto fora a retaliação, convencidos de que eram vítimas de um ataque terrorista. Entretanto, até a nação terrorista do Oriente Médio, cujo comando estava deveras desestruturado na altura, fora igualmente alvo de acontecimentos semelhantes e tivera sua população civil afetada irremediavelmente.

Os sobreviventes precisavam de ajuda humanitária urgente. Ao amanhecer do novo dia, o mundo estava em pranto, o planeta estava em luto. As bolsas de valores tiveram perdas históricas até anteciparem seu fechamento. Afinal, a sede da mais importante delas, justamente a partir de seu coração financeiro, encontrara seu estertor e respirava os últimos hálitos tão logo amanheceu o dia. Manhattan, onde as nações do planeta realizavam as transações comerciais mais vultosas e significativas, havia sucumbido na hecatombe que marcava a nova era. A Terra sofrera uma cirurgia gigantesca mediante o bisturi da dor e do sofrimento de milhões de almas, em diversas latitudes.

O mundo inteiro fora afetado, instantaneamente, ao ver tombarem a tocha e a Estátua da Liberdade.

QUE ESTARÁ RESERVADO À CIVILIZAÇÃO TERRENA: INTERVENÇÃO DIVINA OU INTERVENÇÃO ALIENÍGENA?

A HUMANIDADE SERÁ CAPAZ DE TRILHAR UM FUTURO MELHOR?

OS NOVOS HOMENS CONSEGUIRÃO AJUDAR A PRODUZIR HOMENS NOVOS?

TERÁ ORIONE SOBREVIVIDO À CATÁSTROFE?

SETH SERÁ, ENFIM, O MENSAGEIRO DA DESTRUIÇÃO OU DA RENOVAÇÃO?

CONHEÇA OS DESDOBRAMENTOS DESTA HISTÓRIA EM *2080* – LIVRO 2.

AGRADECIMENTOS

Nenhuma obra deste porte é possível sem a cooperação de muitas mãos e almas que concorrem, cada uma à sua maneira, para produzir o resultado que se pode chamar de livro.

Particularmente, agradeço a Zibia Gasparetto, responsável por uma sugestão que fez toda a diferença na feitura deste trabalho e, assim, favoreceu sua publicação ao poupar-nos de muitas agruras. É ela a responsável pela ideia simples, mas de grande valor, de lançar *2080* em dois volumes, uma solução até então inédita em minha produção psicográfica.

Na editora, a conferência das expressões em latim contou com o concurso de Juliana De Leo, a quem deixo minha gratidão.

Em meio à equipe editorial, é difícil nomear todos que, livro a livro, cuidam para que o manuscrito passe por tantas etapas, desde preparação, pesquisa e revisão até o texto final ser submetido a edição, editoração, impressão, promoção e distribuição. São muitos os agentes requeridos, de um e outro lado da vida, para que a psicografia seja transformada em livro e chegue às suas mãos, a despeito dos percalços inerentes a qualquer projeto ou realização terrena, incluindo aqueles que as equipes mediúnicas, nos demais núcleos da UniSpiritus, acabam por experimentar e enfrentar. Nesse contexto, é que menciono os voluntários da Sociedade Espírita Everilda Batista, da Clínica Holística Joseph Gleber e da Aruanda de Pai João.

Quero, ainda, citar a equipe do Colegiado de Guardiões da Humanidade, responsável por apoio fundamental e, também, por tornar possível a difusão dos conteúdos relacionados a esta obra em vídeos na internet.

A todos, meus agradecimentos sinceros e os melhores votos.

ROBSON PINHEIRO

REFERÊNCIAS BIBLIOGRÁFICAS

BÍBLIA de estudo Scofield. Versão: Almeida Corrigida e Fiel. São Paulo: Holy Bible, 2009.

DICIONÁRIO Houaiss da Língua Portuguesa. Rio de Janeiro: Objetiva, 2009.

KARDEC, Allan. *A gênese, os milagres e as predições segundo o espiritismo.* 1ª ed. esp. Rio de Janeiro: FEB, 2011.

____. *O Evangelho segundo o espiritismo.* Tradução de Evandro Noleto Bezerra. 1ª ed. esp. Rio de Janeiro: FEB, 2011.

LOMBORG, Bjørn. *The Skeptical Environmentalist.* New York: Cambridge University Press, 1998.

PINHEIRO, Robson. Pelo espírito Ângelo Inácio. *A marca da besta.* Contagem: Casa dos Espíritos, 2010. (O reino das sombras, v. 3.)

____. Pelo espírito Ângelo Inácio. *O agênere.* Contagem: Casa dos Espíritos, 2015. (Crônicas da Terra, v. 3.)

____. Pelo espírito Estêvão. *Apocalipse*: uma interpretação espírita das profecias. 5. ed. rev. Contagem: Casa dos Espíritos, 2005.

VERNE, Júlio. *O dia de um jornalista americano no ano 2889.* Lisboa: Vega, 1995.

ANEXO
FILMOGRAFIA

Destruição de Nova Iorque e da Terra

10.5: APOCALYPSE (*10.5: O dia em que a Terra não aguentou*). Direção: John Lafia. Produção: Christopher Canaan, John Lafia e Ronnie Christensen. Estados Unidos, 2005. (169min).

20 MILLION Miles to Earth (*A 20 milhões de milhas da Terra*). Direção: Nathan H. Juran. Produção: Charles H. Schneer. Estados Unidos: Morningside Productions, 1957. (82min).

2012 (*2012*). Direção: Roland Emmerich. Produção: Harald Kloser, Mark Gordon e Larry J. Franco. Estados Unidos: Centropolis Entertainment e The Mark Gordon Company, 2009. (158min).

2019: Dopo la caduta di New York [2019: After the Fall of New York]. Direção: Sergio Martino. Produção: Luciano Martino. Itália e França, 1983. (91min).

A. I. ARTIFICIAL Intelligence (*A.I. Inteligência artificial*). Direção: Steven Spielberg. Produção: Kathleen Kennedy, Steven Spielberg e Bonnie Curtis. Estados Unidos: Amblin Entertainment e Stanley Kubrick Productions, 2001. (146min).

AFTERSHOCK: Earthquake in New York (*Nova Iorque em pânico*). Direção: Mikael Salomon. Estados Unidos e Alemanha: RHI Entertainment, 1999. (170min).

ARMAGEDDON (*Armagedom*). Direção: Michael Bay. Produção: Jerry Bruckheimer, Gale Anne Hurd e Michael Bay. Estados Unidos: Touchstone Pictures, Jerry Bruckheimer Films e Valhalla Motion Pictures, 1998. (150min).

BENEATH the Planet of the Apes (*De volta ao planeta dos macacos*). Direção: Ted Post. Produção: Arthur P. Jacobs. Estados Unidos: APJAC Productions, 1970. (95min).

CLOVERFIELD (*Cloverfield: monstro*). Direção: Matt Reeves. Produção: J. J. Abrams e Bryan Burk. Estados Unidos: Bad Robot Productions, 2008. (85min).

CRACK in the World (*Uma fenda no mundo*). Direção: Andrew Marton. Produção: Bernard Glasser. Estados Unidos. 1965. (96min).

DAYLIGHT (*Pânico no túnel*). Direção: Rob Cohen. Produção: John Davis, David T. Friendly e Joseph Singer. Estados Unidos e Reino Unido: Davis Entertainment, 1996. (114min).

DEEP Impact (*Impacto profundo*). Direção: Mimi Leder. Produção: David Brown e Richard D. Zanuck. Estados Unidos: The Manhattan Project e Zanuck/Brown Productions, 1998. (121min).

DELUGE. Direção: Felix E. Feist. Produção: Sam Bischoff. Estados Unidos: Admiral Productions, 1933. (70min).

DESTROY All Monsters. Direção: Ishirō Honda. Produção: Tomoyuki Tanaka. Japan: Toho, 1968. (88min).

DISASTER Movie (*Super-heróis: a liga da injustiça*). Direção: Jason Friedberg e Aaron Seltzer. Produção: Jason Friedberg e Aaron Seltzer. Estados Unidos: Grosvenor Park, The Safran Company e 3 in the Box, 2008. (87min).

END of Days (*O fim dos dias*). Direção: Peter Hyams. Produção: Armyan Bernstein, Bill Borden e Thomas Bliss. Estados Unidos: Beacon Pictures, 1999. (123min).

ESCAPE from New York (*Fuga de Nova Iorque*). Direção: John Carpenter. Produção: Larry Franco e Debra Hill. Estados Unidos: AVCO Embassy Pictures, International Film Investors e Goldcrest Films International, 1981. (99min).

FINAL Fantasy: The Spirits Within (*Final fantasy*). Direção: Hironobu Sakaguchi. Codireção: Motonori Sakakibara. Produção: Chris Lee e Akio Sakai. Estados Unidos: Square Pictures, 2001. (106min).

GODZILLA (*Godzila*). Direção: Roland Emmerich. Produção: Dean Devlin. Estados Unidos e Japão: Centropolis Entertainment, Fried Films e Independent Pictures, 1998. (139min).

GODZILLA Final Wars (*Godzila: batalha final*). Direção: Ryuhei Kitamura. Produção: Shogo Tomiyama. Japão: Toho Pictures, Inc., 2004. (125min).

GRAVEYARD Shift (*A criatura do cemitério*). Direção: Jerry Ciccoritti. Produção: Robert Bergman, Michael Bockner e Jerry Ciccoritti. Canadá: Cinema Ventures, 1987. (89min).

I AM Legend (*Eu sou a lenda*). Direção: Francis Lawrence. Produção: Akiva Goldsman, James Lassiter, David Heyman e Neal H. Moritz. Estados Unidos: Vilage Roadshow Pictures, Weed Road Pictures, Overbrook Entertainment, Heyday Films e Original Film, 2007. (104min).

INDEPEDENCE Day (*Independence day*). Direção: Roland Emmerich. Produção: Dean Devlin. Estados Unidos: Centropolis Entertainment, 1996. (145min).

INDEPEDENCE Day: Resurgence (*Independence day: o ressurgimento*). Direção: Roland Emmerich. Produção: Dean Delvin, Rolando

Emmerich e Harald Kloser. Estados Unidos: TSG Entertainment, Centropolis Entertainment e Electric Entertainment, 2016. (120min).

INVASION, U.S.A. Direção: Alfred E. Green. Produção: Albert Zugsmith. Estados Unidos: American Pictures Corp., 1952. (74min).

KNOWING (*Presságio*). Direção: Alex Proyas. Produção: Alex Proyas, Todd Black, Jason Blumenthal e Steve Tisch. Estados Unidos e Reino Unido: Escape Artists e DMG Entertainment, 2009. (121min).

MARVEL'S The Avengers (*The avengers: os vingadores*). Direção: Joss Whedon. Produção: Kevin Feige. Estados Unidos: Marvel Studios, 2012. (143min).

METEOR (*Meteoro*). Direção: Ronald Neame, Produção: Arnold Orgolini, Theodore R. Parvin e Run Run Shaw. Estados Unidos: American International Pictures, 1979. (107min).

PIXELS (*Pixels*). Direção: Chris Columbus. Produção: Adam Sandler, Chris Columbus, Mark Radcliffe e Allen Covert. Estados Unidos e China: Happy Madison Productions, 1492

Pictures e China Film Group, 2015. (106min).

PLANET of the Apes (*O planeta dos macacos*). Direção: Franklin J. Schaffner. Produção: Arthur P. Jacobs. Estados Unidos: APJAC Productions, 1968. (112min).

Q [The Winged Serpent; Q: The Winged Serpent]. Direção: Larry Cohen. Produção: Larry Cohen. Estados Unidos, 1982. (93min).

RESIDENT Evil: Extinction (*Resident evil 3: a extinção*). Direção: Russell Mulcahy. Produção: Paul W. S. Anderson, Jeremy Bolt, Robert Kulzer, Bernd Eichinger e Samuel Hadida. Alemanha, Estados Unidos, Reino Unido e França: Constantin Film, Davis Films, Impact Pictures e Capcom Co, Ltd., 2007. (90min).

SOLAR Crisis. Direção: Richard C. Sarafian. Produção: Richard Edlund e James Nelson. Japão e Estados Unidos: Gakken Co. Ltd. e Japan America Picture Company, 1990. (111min).

THE DAY After Tomorrow (*O dia depois de amanhã*). Direção: Roland Emmerich. Produção: Roland Emmerich e Mark Gordon. Estados Unidos: Centropolis Entertainment, Lionsgate Films e Mark Gordon Company, 2004. (124min).

THE DAY the Earth Stood Still (*O dia em que a Terra parou*). Direção: Scott Derrickson. Produção: Paul Harris Boardman, Gregory Goodman e Erwin Stoff. Estados Unidos: 3 Arts Entertainment e Dune Entertainment, 2008. (103min).

THE DIVIDE (*O abrigo*). Direção: Xavier Gens. Produção: Ross M. Dinerstein, Darryn Welch e Nathaniel Rollo. Estados Unidos e Reino Unido: Preferred Content, Instinctive Film e Julijette Inc, 2011. (122min).

THE HUMAN Tornado. Direção: Cliff Roquemore. Estados Unidos. 1976. (108min).

THE POSTMAN (*O mensageiro*). Direção: Kevin Costner. Produção: Kevin Costner, Steve Tisch e Jim Wilson. Estados Unidos: Tig Productions, 1997. (177min).

THE TIME Machine (*A máquina do tempo*). Direção: Simon Wells e Gore Verbinski. Produção: Walter F. Parkes, Laurie MacDonald, Arnold Leibovit e David Valdes. Estados Unidos: Parkes/MacDonald Productions e Arnold Leibovit Entertainment, 2002. (96min).

THE WORLD, the Flesh and the Devil. Direção: Ranald Mac-

Dougall. Produção: Sol C. Siegel, George Englund e Harry Belafonte. Estados Unidos. 1959. (95min).

WALL-E (*Wall-E*). Direção: Andrew Stanton. Produção: Jim Morris. Estados Unidos: Walt Disney Studios e Pixar Animation Studios, 2008. (98min).

WAR of the Worlds (*Guerra dos mundos*). Direção: Steven Spielberg. Produção: Amblin Entertainment e Cruise/Wagner Productions, 2005. (116min).

WHEN Worlds Collide (*O fim do mundo*). Direção: Rudolph Maté. Produção: George Pal. Los Angeles: Paramount Pictures, 1951. (83min).

OBRAS DE ROBSON PINHEIRO

PELO ESPÍRITO JÚLIO VERNE

2080 [obra em 2 volumes]

PELO ESPÍRITO ÂNGELO INÁCIO

Encontro com a vida

Crepúsculo dos deuses

O próximo minuto

Os viajores: agentes dos guardiões

COLEÇÃO SEGREDOS DE ARUANDA

Tambores de Angola

Aruanda

Antes que os tambores toquem

SÉRIE CRÔNICAS DA TERRA

O fim da escuridão

Os nephilins: a origem

O agênere

Os abduzidos

PELO ESPÍRITO FRANKLIM

Canção da esperança

PELO ESPÍRITO PAI JOÃO DE ARUANDA

Sabedoria de preto-velho

Pai João

Negro

Magos negros

PELO ESPÍRITO ALEX ZARTHÚ

Gestação da Terra

Serenidade: uma terapia para a alma

Superando os desafios íntimos

Quietude

PELO ESPÍRITO ESTÊVÃO

Apocalipse: uma interpretação espírita das profecias

Mulheres do Evangelho

PELO ESPÍRITO EVERILDA BATISTA

Sob a luz do luar

Os dois lados do espelho

PELO ESPÍRITO JOSEPH GLEBER

Medicina da alma

Além da matéria

Consciência: em mediunidade, você precisa saber o que está fazendo

A alma da medicina

ORIENTADO PELOS ESPÍRITOS

JOSEPH GLEBER, ANDRÉ LUIZ E JOSÉ GROSSO

Energia: novas dimensões da bioenergética humana

COM LEONARDO MÖLLER

Os espíritos em minha vida: memórias

Desdobramento astral: teoria e prática

PREFACIANDO

MARCOS LEÃO PELO ESPÍRITO CALUNGA

Você com você

CITAÇÕES

100 frases escolhidas por Robson Pinheiro

Quem enfrentará o mal

a fim de que a justiça prevaleça?

Os guardiões superiores

estão recrutando agentes.

Colegiado de Guardiões da Humanidade

por Robson Pinheiro

Fundado pelo médium, terapeuta e escritor espírita Robson Pinheiro no ano de 2011, o Colegiado de Guardiões da Humanidade é uma iniciativa do espírito Jamar, guardião planetário.

Com grupos atuantes em mais de 14 países, o Colegiado é uma instituição sem fins lucrativos, de caráter humanitário e sem vínculo político ou religioso, cujo objetivo é formar agentes capazes de colaborar com os espíritos que zelam pela justiça em nível planetário, tendo em vista a reurbanização extrafísica por que passa a Terra.

Conheça o Colegiado de Guardiões da Humanidade. Se quer servir mais e melhor à justiça, venha estudar e se preparar conosco.

Paz, justiça e fraternidade

www.guardioesdahumanidade.org

Candidato à presidência
do Brasil fala abertamente
n teocracia
Mundo à beira do
oso climátic
RÚSSIA
A UM PA
GUE
DE MARTE
DISPUTAS
Após a morte
sucessão é de
em tempo rec